Gianbattista Guerrini Giuseppina Giorgi Troletti

Alzheimer in movimento

L'attività motoria con le persone affette da demenza: manuale per familiari e operatori

MAGGIOLI EDITORE

Disegni di **Giorgio Giorgi**

47822 Santarcangelo di Romagna (RN) • Via del Carpino, 8
Tel. 0541/628111 • Fax 0541/622020
www.maggioli.it/servizioclienti
e-mail: servizio.clienti@maggioli.it

Finito di stampare nel mese di ottobre 2008
dalla Litografia Titanlito s.a.
Dogana (Repubblica di San Marino)

Indice

Presentazione

Questo è un libro per vincere la paura. La paura che accompagna la diagnosi di demenza, che paralizza molti, sia persone che istituzioni, quasi si sia di fronte a una "malattia sacra". La demenza, la malattia di Alzheimer invece qui sono trattate secondo l'idea di Ippocrate che non esistono malattie sacre, non esistono condizioni patologiche che ci tolgano qualunque possibilità di conoscere cause e modalità, di progettare cure e, perché no, di sostenere la qualità di vita per chi ne è affetto e per chi lo cura.

Infatti molte cose oggi si conoscono intorno alla demenza, anche se molte di queste non escono dal circuito degli specialisti. La prima parte del libro si occupa proprio di questo, cioè di far conoscere il non poco che si sa attorno a questa sindrome. È necessario, per far scendere la malattia dal cielo sulla terra, capire le coordinate fondamentali del suo esistere. Si può così capire anche perché questa che, anche qui, viene ricordata come "epidemia silenziosa", rischia di diventare una "epidemia fragorosa", per quanto se ne parla sia sulle riviste scientifiche (8.444 lavori clinici pubblicati su "PubMed" alla voce "demenza-anziani" negli ultimi 3 anni) che, un po'meno, nei media. Non sempre però tanto rumore aiuta a capire, alle volte sembra piuttosto alimentare la paura che negli anziani di oggi suscita la demenza ("avrò l'Alzheimer!" è diventato un modo di dire esorcistico di chi dimentica qualcosa). C'è molto da conoscere ancora e da ricercare sulla demenza, ma non c'è nessun mistero esoterico dietro a questa malattia: c'è una base organica riconosciuta, è prima di tutto malattia del corpo e solo dopo della mente. Per questo è così legata all'invecchiamento, momento in cui le riserve fisiche diventano fragili e gli equilibri possono saltare e il corpo tradirci: "il mio nemico invecchia" come scrive Emily Dickinson. Dopo i 65 anni, ogni 5 anni si raddoppia la probabilità di avere la demenza, ma la causa è nella morte dei neuroni, non nell'aver avuto il padre autoritario, come qualcuno sembra suggerire!

È vero che oggi molto si è scoperto sui meccanismi che causano questa morte delle cellule cerebrali, ma i farmaci efficaci conseguenti a questa conoscenza si fanno attendere. In effetti quando i meccanismi patologici sono così vicini a quelli fisiologici, è difficile intervenire con sostanze chimiche che blocchino questi proces-

si, perché si possono avere effetti collaterali gravemente nocivi per l'organismo. Di fronte alla persistente difficoltà di poter disporre di trattamenti farmacologici efficaci, ancora più importanti diventano gli interventi non farmacologici qui suggeriti, come gli stimoli ambientali e "protesici", e in particolare l'attività motoria. Gli interventi che attuano incrementi di attività fisica hanno una dimostrata e per certi versi clamorosa evidenza di efficacia in campo preventivo. Chi può ignorare i risultati delle ricerche pubblicate dal gruppo di Laura Fratiglioni, del Karolinska Institute di Stoccolma, su di un dimezzamento del rischio di sviluppare la demenza in coloro che si mantengono attivi a confronto con i sedentari? Tanto più che non si parla di attività strenua o particolarmente impegnativa, ma al contrario di attività piacevole e divertente! Purtroppo non disponiamo della stessa ricchezza di dati sugli effetti positivi delle attività, in particolare della attività fisica, in chi ha già la demenza. L'esperienza qui portata dall'autrice è a questo proposito preziosa, perché dimostra la fattibilità di ciò che oggi è in discussione, cioè la stessa possibilità *di organizzare attività motoria con le persone affette da demenza. Certo, dalla lettura dei capitoli dedicati, si evince che non tutta l'attività motoria, qualunque essa sia, va bene. C'è un modo di fare, di proporre che è adattato e studiato per giovare a chi ci si trova di fronte (vi è infatti un collegamento, citato, con l'A.F.A., l'"attività fisica adattata" oggi considerata utile per molte categorie di malati); ma la vera buona notizia è che non occorrono attrezzature strane né costose, né vi sono apprendimenti difficili per chi vuole essere un promotore dell'attività motoria con le persone affette da demenza. Nello stesso tempo però questa proposta elaborata e semplice, più "protesica" che terapeutica, ci mette in evidenza il vero obiettivo del nostro intervento con i malati di demenza, e di tutte le patologie croniche e invalidanti. L'obiettivo infatti non può essere la guarigione, oggi fuori portata, ma neppure il recupero permanente di funzioni cognitive che sono andate perdute per sempre. Non è però neppure necessario accettare che le attività siano proposte solo per "occupare il tempo" o per consolazione dei famigliari, quando invece devono e possono avere un significato per il malato: questo significato, questo obiettivo è il benessere, cioè il miglior stato funzionale esente da stress, da disagio, da dolore. Il "benessere" può essere ricercato e misurato, anche se fino ad ora lo è stato troppo poco, al punto che a qualcuno sfugge e non sembra realistico. Non è così: infatti esso esiste ed è importante all'interno della storia naturale della malattia e non perseguibile solo al di fuori e contro di essa. Ogni malattia contiene una quota più o meno grande di salute, di benessere, i due termini non si escludono ma convivono. Quindi saper intervenire per migliorare, promuovere, modificare la traiettoria di "perdita" e il suo significato per il malato è il segreto per saper fare ciò che è utile per i malati di demenza, è il beneficio della attività.*

Questo libro sembra confermare l'affermazione di Rockwood, il grande geriatra canadese, che chi si occupa di anziani malati cronici sia depositario di un qualche segreto, perché interviene con successo laddove tutti gli altri pensano che non ci sia più nulla da fare. Aggiunge però che lui, come gli altri adepti di questa setta, non vorrebbe che tali cose rimanessero ancora a lungo segrete, anzi ha fatto molti sforzi perché anche altri possano condividere i suoi "segreti" che però, spesso, continuano a rimanere tali. Questo libro, questi due autori, un geriatra di sicura esperienza e una grande esperta di attività psicomotorie con gli anziani, condividono e svelano i loro segreti, nella speranza che tali in futuro non saranno più e che molti sappiano, per i malati di demenza, tutto il moltissimo che si può fare.

Antonio Guaita

Introduzione

Questo libro è rivolto a chi vive con una persona demente e a chi l'assiste in un centro diurno o in una struttura residenziale, a chi ogni giorno affronta l'impegno di una cura difficile, spesso frustrante, a chi cerca con tenacia e con pazienza di scoprire quali interventi, anche semplici, possano migliorare la qualità della vita del malato, aiutarlo a mantenere più a lungo le capacità che declinano, prevenire o gestire al meglio i momenti di crisi, di inquietudine, di agitazione.

Tra questi interventi c'è, senza dubbio, il movimento. La demenza tende a limitare le prestazioni motorie, riduce le capacità del malato di provvedere a se stesso, aumenta il rischio di cadute e di fratture. Mantenersi attivi, camminare, partecipare a gruppi di attività motoria può al contrario migliorare l'autonomia nella vita quotidiana, innalzare il tono dell'umore, contenere i disturbi comportamentali, rallentare addirittura il declino delle prestazioni mentali. Ed è possibile, ne siamo convinti, coinvolgere il malato, da solo o in piccolo gruppo, in attività motorie piacevoli e stimolanti, che sollecitano le sue capacità sensoriali, cognitive e motorie restituendogli una maggior sensazione di benessere.

I primi tre capitoli, dopo aver descritto le manifestazioni della malattia, si soffermano sugli interventi diagnostici e terapeutici che la medicina è oggi in grado di offrire e suggeriscono come affrontare, con la persona ammalata, le "mille" difficoltà della vita quotidiana. Il quarto ed il quinto capitolo sono dedicati rispettivamente alla famiglia colpita dalla malattia ed ai servizi che la possono aiutare nell'impegno di cura.

Gli ultimi tre capitoli sono dedicati in modo specifico all'attività motoria, ne ripercorrono i vantaggi per la persona che invecchia e per chi è colpito da demenza, e propongono alcuni percorsi di motricità destinati tanto alle persone ammalate quanto ai loro familiari, frutto di un'esperienza condotta direttamente sul campo.

I capitoli I-V sono curati da Gianbattista Guerrini, il VI dai due autori insieme, gli ultimi due da Giuseppina Giorgi Troletti.

1. La demenza

1.1 La demenza: l'*epidemia silente*

L'hanno chiamata l'epidemia silente del terzo millennio. In Italia oggi ne sono affette 700.000 persone, in tutta l'Europa 6 anziani su 100. Ed è un numero destinato a crescere, se l'enorme impegno profuso in tutto il mondo nella ricerca delle cause della demenza e di efficaci trattamenti preventivi e curativi non darà rapidamente i suoi frutti.

La demenza infatti – quasi una nemesi per il progresso scientifico e sociale, la vendetta della natura (degli dei, avrebbero detto gli antichi Greci) per la superbia dell'uomo che ha osato avventurarsi sui terreni della longevità – aumenta inesorabile di frequenza man mano si invecchia: a 65 anni colpisce una persona su cento, a 75 anni una su venti, dopo gli 85 anni addirittura una su tre! (fig. 1.1). Ed è noto che grazie all'allungamento della vita media sono proprio questi ultimi – i grandi vecchi – a crescere ad un ritmo più rapido di tutte le altre fasce di età (fig. 1.2).

Figura 1.1 - Prevalenza della demenza di Alzheimer (AD), vascolare (VaD) e totale con l'età in Italia (Di Carlo *et al.*, 2002)

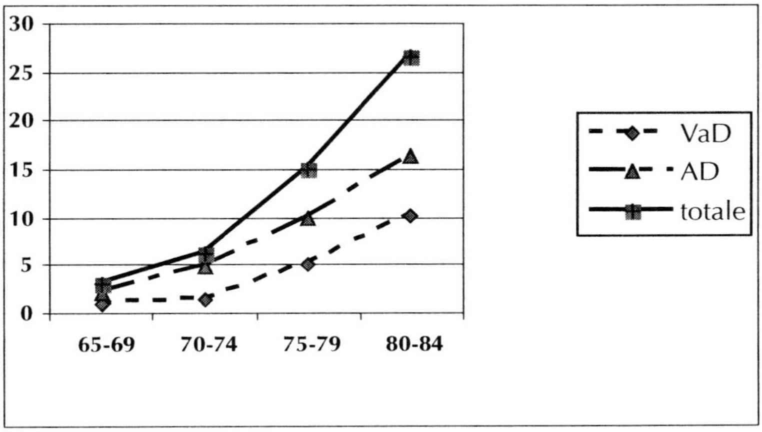

Figura 1.2 - Evoluzione della popolazione ultraottantenne in Italia

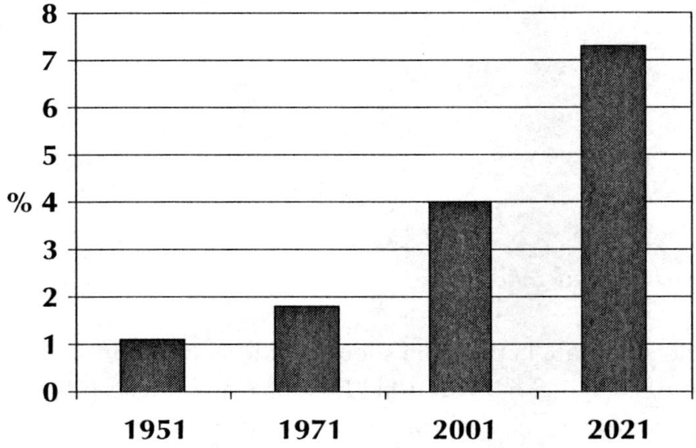

Ancora, vittima della demenza non è soltanto la persona ammalata, ma tutta la sua famiglia: è arduo, infatti, vedere un proprio caro (un genitore, il coniuge) perdere le proprie capacità mentali, cambiare personalità, regredire a condizioni di totale dipendenza; ed il costo – economico ma soprattutto fisico e psicologico – di un'assistenza continuativa, 24 ore al giorno, 365 giorni all'anno, è elevatissimo (l'80-90% delle persone colpite da demenza vive d'altra parte a casa, assistita quasi unicamente dai familiari).

Per questi motivi è importante che tutti – operatori professionali e familiari – maturino una conoscenza sempre più approfondita della demenza; perché solo la conoscenza

– della malattia, della sua evoluzione e dei suoi sintomi,

– delle opportunità diagnostiche e terapeutiche che la medicina oggi mette a disposizione,

– delle modalità assistenziali che meglio rispondono alle caratteristiche della malattia

può rendere più efficace la "cura" della persona demente e migliorare la qualità della vita, sua e dei suoi familiari.

1.2 L'invecchiamento cerebrale, tra fisiologia e patologia

L'età, si è visto, è uno dei principali "fattori di rischio" della demenza, una condizione che di per sé aumenta la probabilità di essere colpiti da questa malattia.

Ciò non significa che l'indebolimento delle facoltà mentali e la demenza siano l'approdo obbligato della senescenza.

Con l'età anche il cervello – come tutti gli altri organi ed apparati del nostro organismo – va incontro a modificazioni strutturali e funzionali. A partire dai 60 anni cala di peso, perde quotidianamente una quota delle sue unità funzionali, le cellule nervose o *neuroni* (fig. 1.3) che, a loro volta, riducono la loro capacità di stabilire connessioni con altre cellule (attraverso alcune strutture specializzate chiamate *sinapsi*). Ma queste perdite sono ben compensate dalla sovrabbondanza (*ridondanza*) di neuroni e di connessioni sinaptiche (si calcola che ogni neurone cerebrale possa dare luogo fino a diecimila sinapsi) e dall'esistenza di molteplici circuiti neuronali alternativi in grado di sostituire quello principale se danneggiato dagli insulti del tempo. Inoltre il cervello mantiene, anche in età avanzata, la propria *plasticità*, la capacità cioè di sviluppare nuovi collegamenti e nuovi circuiti funzionali, di immagazzinare nuove informazioni e nuove modalità di comportamento.

Figura 1.3 - Il *neurone*, o cellula nervosa, l'unità funzionale del cervello, è costituito da un corpo a forma rotondeggiante, triangolare o a stella, da cui partono numerosi prolungamenti (alcuni lunghi anche parecchi centimetri). Attraverso tali prolungamenti, che alla fine si sfioccano in numerose diramazioni più piccole, il neurone prende contatto con molte altre cellule nervose. Nei punti di contatto tra due neuroni, detti *sinapsi*, le informazioni vengono trasmesse dall'uno all'altro grazie al passaggio di alcune sostanze dette appunto *neurotrasmettitori*

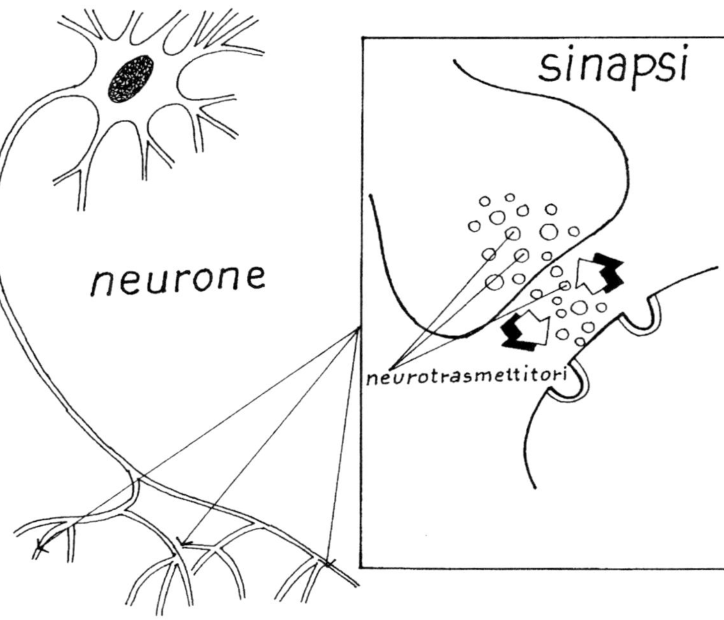

Di fronte alle modificazioni che si instaurano con il passare del tempo il cervello è pertanto capace di trovare nuovi equilibri che gli consentono di conservare, globalmente, la sua integrità funzionale.

Man mano si invecchia si riducono, è vero, alcune prestazioni mentali, soprattutto quelle legate alla prontezza dei riflessi, alla velocità nel percepire gli stimoli sensoriali e nel predisporre le risposte motorie. Si verifica anche un certo calo della memoria, soprattutto per i fatti recenti (apprendere nuove informazioni risulta più difficile per la persona anziana), mentre è meglio conservata la memoria del passato (probabilmente grazie al *rinforzo* che il frequente richiamo delle vicende del passato ed il loro contenuto emotivo esercitano sulla vivezza di questi ricordi); ancora, calano con l'età l'attenzione e la capacità di mantenere a lungo la concentrazione.

Al contrario rimangono stabili, nell'anziano, altre abilità intellettive (*cognitive*) che si basano sull'esperienza, sulla cultura generale, sulla motivazione: complessivamente, quando non ci troviamo di fronte ad un invecchiamento patologico (cioè ad una vera e propria malattia) anche nel "grande vecchio" sono conservate le capacità di pensare, di ragionare, di giudicare e perciò di mantenere una normale vita di relazione.

È importante sottolineare come l'entità ed il ritmo con cui cambiano le funzioni cerebrali differiscano molto da individuo ad individuo: per motivi genetici, certo, ma anche – e soprattutto – per motivi "ambientali", legati a tutta la sua esperienza di vita, ai suoi livelli di istruzione, alla sua attività lavorativa, agli stili di vita seguiti negli anni. E come, anche quando la persona ha già imboccato il percorso della senescenza, la stabilità o il declino della memoria e delle altre funzioni cognitive dipenda molto dall'esistenza che egli conduce (dalle sue scelte di vita o dalle condizioni in cui è costretto a vivere). Così, se osservare una buona igiene di vita, mantenersi attivi fisicamente, coltivare interessi, curiosità, rapporti familiari e sociali ricchi e gratificanti favoriscono una buona "tenuta" delle prestazioni mentali (al punto di essere considerati fattori protettivi contro l'insorgere della demenza), la sedentarietà, l'isolamento, il calo degli interessi, la precoce rinuncia ad una vita attiva accelerano anche drammaticamente l'invecchiamento cerebrale.

1.3 La memoria, le memorie

Si deve cominciare a perdere la memoria, anche solo brandelli di ricordi, per capire che in essa consiste la nostra vita. Senza la memoria la vita non è vita. La nostra memoria è la nostra coerenza, la nostra ragione, il nostro sentimento, persino il nostro agire.

(Oliver Sacks)

La memoria è la capacità di immagazzinare e recuperare le informazioni che vengono acquisite attraverso i sensi. Essa è la base per tutti i processi mentali superiori: è essenziale per imparare nuovi comportamenti e per elaborare concetti, per risolvere problemi e per prendere decisioni. È come un filo che unisce il presente al passato ed al futuro e assicura la continuità del nostro io, garantisce un significato alle nostre esperienze, dà un senso alla nostra identità personale.

Si tratta in realtà di una funzione complessa, nella quale operano molti sistemi.

Una prima distinzione fa riferimento al processo attraverso il quale vengono utilizzate le informazioni trasmesse dai sensi (fig. 1.4).

Figura 1.4 - Schema del funzionamento della memoria

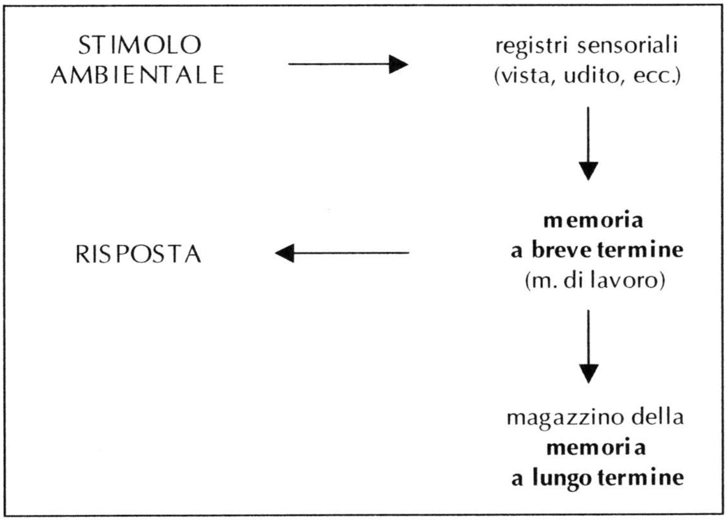

Uno stimolo sensoriale (visivo, uditivo, ...) viene dapprima registrato, in modo automatico, dalla *memoria sensoriale* (detta memoria iconica per gli stimoli visivi, ecoica per quelli uditivi); da qui l'informazione viene trasferita al "magazzino" della memoria a breve termine.

La *memoria a breve termine*, detta anche memoria di lavoro, è in grado di trattenere una quantità limitata di informazioni per un tempo breve (da 3 secondi a meno di un minuto): è la memoria che ci consente, ad esempio, di ricordare un numero di telefono appena letto, per il tempo necessario a comporlo; oppure di ricordare le prime parole che compongono una frase per comprenderne il significato. Una volta assolto questo compito, l'informazione non è più necessaria ed il ricordo svanisce, oppure viene trasferita nel magazzino della memoria a lungo termine, dove rimane per sempre.

Perché un'informazione venga trattenuta nel "magazzino" della *memoria a lungo termine* sono necessari un processo attivo di elaborazione dell'informazione stessa (che implica l'analisi del contenuto, il suo confronto con altre informazioni già possedute, la sua ripetizione, il ricorso a quelle strategie particolari che ciascuno di noi mette in campo per apprendere qualcosa che deve e vuole ricordare), un interesse al contenuto dell'informazione oppure un forte coinvolgimento emotivo: possiamo ricordare, ad esempio, una poesia che non ci piace, leggendola e ripetendola più volte; d'altra parte, un'immagine che ci ha colpito particolarmente, anche se per pochi secondi, potrà restarci impressa per tutta la vita.

È possibile classificare la memoria anche in rapporto ai contenuti del magazzino della memoria. Senza complicare troppo, possiamo distinguere:

– la *memoria episodica* (o autobiografica), che contiene i ricordi della nostra storia personale, gli eventi, le emozioni, i sentimenti che hanno contrassegnato la nostra esistenza;

– la *memoria semantica*, che rappresenta il patrimonio di conoscenze che abbiamo acquisito a partire dall'infanzia, che abbiamo arricchito durante il percorso scolastico e che quotidianamente ampliamo nel rapporto con la realtà che ci circonda ("Qual è la capitale dell'Italia? I cespugli di rose hanno le spine? Quanti centimetri ci sono in un metro? Platone aveva le orecchie? Quale giornale leggeva? Che cosa significa la parola "generoso"? Di che cosa sa il succo d'arancia?") ([1]);

– la *memoria procedurale* infine che ci consente di riprodurre in modo au-

([1]) BADDELEY A., *La memoria umana. Teoria a pratica*, Bologna, Il Mulino, 1992, p. 53.

tomatico alcune azioni ed alcuni comportamenti appresi: lavarsi i denti, ad esempio, o andare in bicicletta richiedono una sequenza di azioni, o procedure, che, una volta apprese, vengono eseguite spontaneamente senza la necessità di una attenzione particolare.

Col passare degli anni possono diventare meno efficaci sia la memoria a breve termine che i processi di elaborazione e di consolidamento nel magazzino della memoria a lungo termine delle nuove informazioni: i meccanismi che il cervello mette in atto per "apprendere" cose nuove (analisi delle informazioni, loro confronto con altri contenuti della memoria, e così via) sono meno pronti, meno automatici, e "mandare a memoria" nuove informazioni diventa più faticoso, richiede un maggiore impegno. Soprattutto se calano l'attenzione, l'interesse, la motivazione, il coinvolgimento emotivo per ciò che si dovrebbe memorizzare.

In generale è più conservata la memoria autobiografica relativa agli eventi del passato, grazie all'effetto di rinforzo su questi contenuti che esercitano sia la loro ripetizione nel corso dell'esistenza che il loro significato affettivo.

La memoria semantica addirittura continua ad arricchirsi per tutta la vita: nelle prove che chiamano in causa il suo bagaglio complessivo di conoscenze (la sua memoria semantica, appunto) la persona anziana mostra in genere prestazioni superiori a quelle del giovane.

Ben diverso, come vedremo, è ciò che si verifica nel decadimento demenziale: la memoria episodica e la capacità di apprendere nuove informazioni declinano per prime; nell'evoluzione della malattia diventa difficile l'accesso alle informazioni del passato, mentre la memoria procedurale – proprio perché automatica – resiste più a lungo.

1.4 Che cosa è la demenza

Se una maggiore difficoltà a richiamare alla memoria informazioni già acquisite (i nomi, i numeri di telefono...) o a trattenere ed immagazzinare nuove informazioni è un'esperienza frequente nella vecchiaia, ben diverso è ciò che accade nella demenza, nella quale la perdita della memoria e delle altre capacità mentali è tale da impedire alla persona di continuare a svolgere le normali attività della vita quotidiana.

La demenza è una malattia progressiva ed irreversibile. Compare di solito molto gradualmente (i primi sintomi sono spesso inavvertiti, sia dall'interessato che dai suoi familiari, e prima che il problema venga affrontato con il medico passano in genere 1 o 2 anni); determina sempre la progressiva perdita della memoria e può alterare varie altre funzioni: l'orientamento nello spazio e nel tempo, il linguaggio, la capacità di critica e di giudizio, il ragionamento astratto, la coordinazione dei movimenti, il tono dell'umore, la personalità.

Si parla, nel caso della demenza, di una "sindrome", cioè di un insieme di sintomi che possono essere provocati da molte situazioni morbose, alcune frequenti, altre molto rare.

La maggior parte delle demenze è causata dalla malattia di Alzheimer (dal nome del medico tedesco, Alois Alzheimer, che per primo nel 1907 ne descrisse i sintomi e le alterazioni rilevabili, dopo la morte, all'osservazione microscopica del cervello). È una malattia degenerativa, nella quale una serie di meccanismi solo in parte chiariti determina danni funzionali ed una progressiva perdita di neuroni e di sinapsi, dapprima nelle aree cerebrali che controllano la memoria, poi sempre più estesamente.

Molto minore, nel determinare una sindrome demenziale, è la responsabilità dei disturbi della circolazione cerebrale del sangue, responsabili di infarti cerebrali singoli (localizzati in strutture cerebrali "strategiche") o multipli e diffusi (si parla, in questo caso, di "demenza multi-infartuale"), oppure di una cronica riduzione del flusso di sangue al cervello. Si tratta di una forma di demenza – definita nel suo complesso "Demenza Vascolare" – che può essere prevenuta attraverso il controllo dei fattori che ne favoriscono l'insorgenza, quali l'ipertensione arteriosa, il diabete, il fumo, l'ipercolesterolemia (che sono i fattori di rischio di tutte le malattie cardio-vascolari).

Demenza di Alzheimer e demenza vascolare spesso si sovrappongono, soprattutto in età molto avanzata (si parla in questo caso di demenza mista o di demenza di Alzheimer con malattia cerebrovascolare associata). Si è anche scoperto che i fattori di rischio della demenza vascolare favoriscono anche la comparsa delle lesioni cerebrali tipiche della malattia di Alzheimer.

Il 50-70% di tutte le demenze è comunque dovuto alla malattia di Alzheimer, il 10-20% a disturbi vascolari.

Altre forme di demenza di una certa frequenza sono la demenza frontotemporale, nella quale prevalgono i disturbi del comportamento sociale e del carattere, e la demenza a corpi di Lewy, che si caratterizza per la presenza di allucinazioni visive e di disturbi motori di natura "extrapiramidale" (rigidità, tremori, rallentamento dei movimenti).

Esiste infine un altro piccolo gruppo di demenze (il 10% circa), definite demenze reversibili, che sono causate da malattie che possono essere curate (un'insufficienza funzionale della tiroide, la carenza di alcune vitamine, alcune lesioni cerebrali, ...) ed in una discreta percentuale guarite.

1.5 I sintomi cognitivi ed affettivi della demenza

Anche se le diverse forme di demenza differiscono in parte tra di loro per le modalità di insorgenza e di evoluzione (la malattia di Alzheimer, ad esempio, inizia e progredisce in modo più graduale, mentre la demenza vascolare può presentare un esordio più brusco e fasi di peggioramento più evidenti), le manifestazioni cliniche della demenza sono molto complesse per la presenza di una molteplicità di segni e sintomi (tab. 1.1).

Tabella 1.1 - I sintomi principali della demenza

Sintomi cognitivi: progressivo calo di: Memoria recente Capacità di apprendimento Orientamento temporale e spaziale Orientamento personale (riconoscimento di sé) Capacità di critica e di giudizio Capacità di astrazione Attenzione e concentrazione **Sintomi affettivi**: Ansia Depressione Labilità emotiva Euforia – esaltazione **Sintomi neurologici**: Disturbi del linguaggio (Afasia) Aprassia Agnosia	**Sintomi psichiatrici**: Deliri Allucinazioni **Disturbi comportamentali**: Agitazione Aggressività Vocalizzi Attività motoria aberrante Apatia, indifferenza Disinibizione **Sintomi neuro-vegetativi**: Disturbi del sonno Disturbi dell'appetito e dell'alimentazione

Il sintomo principale, senza il quale non è possibile fare diagnosi di demenza, è il disturbo della memoria, la più importante delle funzioni "cognitive" (quelle funzioni che ci consentono un rapporto cosciente con la realtà). Si tratta, all'inizio, di una difficoltà a ricordare fatti recenti, mentre gli avvenimenti della vita passata sono meglio evocabili; in seguito anche i ricordi del passato svaniscono, e la persona perde le coordinate del tempo (non sa in quale anno, o stagione, vive; spesso pensa di essere più giovane, non ha la percezione di eventi importanti della sua stessa vita, come il matrimonio o la morte dei genitori). La persona appare disorientata nello spazio (può non riconoscere i luoghi in cui si è sempre mossa e non riuscire a ritrovare la strada di casa; talvolta non identifica come propria la casa in cui vive da alcuni decenni, e cerca quella in cui ha abitato da giovane), non riconosce i propri familiari, in qualche caso nemmeno se stessa nello specchio.

Diventa sempre più difficile mantenere l'attenzione e la concentrazione: il malato è facilmente distratto, la sua capacità di ascoltare e di svolgere anche semplici attività viene ulteriormente compromessa dalla presenza nell'ambiente di rumori, di voci, di persone.

Rapidamente viene meno la capacità di prendere decisioni, relative a problemi inizialmente complessi e poi sempre più semplici, così come la capacità di ragionare in termini astratti.

La depressione del tono dell'umore accompagna spesso l'insorgere e l'evoluzione della malattia: all'inizio può trattarsi di una reazione della persona alla percezione della propria incapacità a mantenere il proprio ruolo sociale, a svolgere le attività consuete. Talvolta la depressione sembra insorgere prima che si rendano evidenti dei deficit cognitivi; spesso accompagna la malattia per tutta la sua "storia naturale".

Allo stesso modo si manifestano, anche fin dall'inizio, importanti cambiamenti della personalità: il paziente può essere apatico, indifferente a ciò che lo circonda, privo di interessi; può presentare una particolare "labilità emotiva", alternando in modo non giustificato momenti di euforia con crisi di tristezza e di pessimismo. Può avere difficoltà a controllare le sue emozioni e le sue reazioni, essere ansioso, impulsivo, irritabile, irascibile, talvolta aggressivo. Può diventare sospettoso, ossessivo: tipica è la tendenza a sospettare gli altri di aver rubato o nascosto oggetti che egli stesso ha collocato o dimenticato fuori posto.

1.6 I sintomi neurologici e sensoriali

Nella malattia di Alzheimer, e nelle altre demenze, sono frequenti le turbe del linguaggio (cui si dà il nome di "*afasia*"). All'inizio può essere difficile per la persona ammalata ricordare i nomi delle persone, anche dei familiari più stretti, trovare la parola giusta per denominare un oggetto: la vediamo ricorrere a frasi stereotipate o alle cosiddette parole "passepartout" (la roba, il coso, ...); poi il suo linguaggio può diventare sempre più povero, fino alla difficoltà completa ad articolare le parole; oppure restare ricco, fluido, ma incapace di esprimere un significato compiuto (afasia fluente). In tutti e due i casi sarà sempre più difficile, per l'ammalato, comunicare con gli altri, esprimere i suoi desideri, i suoi bisogni; chi vive con lui e chi lo assiste devono imparare ad intuirli dal suo atteggiamento, dal suo linguaggio corporeo, dal modificarsi del suo comportamento (quando ha bisogno di qualcosa diventa ansioso, irritabile, irrequieto, ...).

Con la capacità di utilizzare le parole si riduce, in parallelo, la capacità di comprendere il significato di un discorso o delle singole parole. E allora tocca a noi assicurarci che il malato abbia compreso quello che vogliamo dirgli, e in caso contrario utilizzare tutti gli strumenti alternativi (la mimica, il tono della voce, il linguaggio del corpo, la comunicazione affettiva).

Il rapporto del demente con l'ambiente di vita e la sua possibilità di mantenere la propria autonomia vengono progressivamente compromessi da altri due sintomi neurologici che accompagnano l'evoluzione della malattia: l'*aprassia* e l'agnosia.

La persona aprassica non è in grado di finalizzare i propri movimenti all'esecuzione di un compito specifico; riconosce, ad esempio, i capi di abbigliamento, ma ha difficoltà ad indossarli nella sequenza normale (la camicia prima del maglione, e non dopo); non riesce ad organizzare i movimenti più semplici in un'azione complessa (sollevare la bottiglia, togliere il tappo, avvicinare la bottiglia al bicchiere, versarvi l'acqua).

L'*agnosia* comporta invece la difficoltà a riconoscere le persone (i visi, anche dei familiari più vicini, perfino il proprio), le situazioni, gli oggetti, ad assegnare loro il significato che hanno sempre avuto: l'incapacità di vestirsi per una persona demente può essere allora legata alla difficoltà a mettere in sequenza le singole azioni, ma anche all'incapacità di capire che cosa è, a cosa serve quell'oggetto specifico che tentiamo di fargli indossare. Seduta a tavola, può non iniziare a mangiare perché non sa più riconoscere la funzione del cucchiaio o perché non coglie il senso della situazione in cui si trova.

Anche le *prestazioni sensoriali* si modificano nella demenza, aggravando le difficoltà della persona ammalata e di chi la assiste.

Innanzitutto, proprio come succede ai loro coetanei, le persone anziane affette da demenza possono presentare una riduzione della vista e dell'udito, più difficile da rilevare per la incapacità della persona a segnalarne l'entità (difficilmente potranno riferirci che ci vedono male o che non sentono quello che diciamo).

La demenza non sembra responsabile di particolari problemi dell'*udito*. Spetta però a chi vive con una persona ammalata o a chi la assiste, cercare di rilevare un'eventuale ipoacusia (cioè una ridotta sensibilità uditiva). Può essere utile, in questo caso, un esame specialistico per escludere cause risolvibili (quali la presenza di un "tappo di cerume") e per verificare il corretto funzionamento di una protesi acustica. Se poi non è possibile migliorare le prestazioni uditive, possiamo comunicare meglio con la persona ipoacusica ponendoci sempre davanti a lei, parlando più lentamente ed articolando bene le parole (così che la persona, se ne è ancora in grado, possa "leggere" le nostre labbra), arricchendo la comunicazione verbale con i gesti e la mimica del volto, usando un tono di voce sufficientemente alto (ma senza gridare troppo), ed evitando ambienti troppo rumorosi (la televisione o la radio accese o la presenza di più persone che parlano contemporaneamente creano una sorta di "rimbombo" che impedisce a chi è "debole di udito" di distinguere le parole).

Più specifici della demenza sono alcuni disturbi della *vista*. Con la malattia può essere limitata la visione periferica: la persona vede solo diritto davanti a sé e può non accorgersi di oggetti o persone che stanno di lato; per lo più tende a guardare verso il basso e ha difficoltà a vedere oggetti posti in alto. Talvolta è particolarmente attirata da un oggetto molto piccolo, o anche solo da una macchia sul pavimento (che tenta di raccogliere, rischiando di cadere); altre volte la ripetizione di disegni o figure ravvicinate (quali le decorazioni di una carta da parati o di una tovaglia) le inducono confusione e disorientamento. Ancora, può far fatica a seguire con lo sguardo e a riconoscere persone o oggetti che si muovono rapidamente, o a distinguere tra di loro due oggetti dello stesso colore o di colori poco contrastanti (pensiamo alla difficoltà di individuare il puré in un piatto bianco posto su una tovaglia bianca; ma anche al rischio di inciampare su un gradino di una scala di colore omogeneo o di urtare contro uno spigolo non ben evidenziato, data anche la difficoltà che la malattia comporta a percepire correttamente la profondità dello spazio).

Il calo della vista unito alla difficoltà a discriminare gli oggetti e a riconoscere i corpi in movimento giustifica lo scarso interesse della persona demente, soprattutto negli stadi più avanzati, per la televisione (in uno stadio più precoce della malattia ella può invece cercare di comunicare con l'immagine trasmessa dalla televisione come se fosse persona viva). Un ulteriore grave disturbo della vista può essere rappresentato dall'abolizione di una metà del campo visivo: la persona può non vedere gli oggetti e le persone poste nella metà "assente" del campo visivo (può, ad esempio, mangiare solo il cibo posto nella metà destra del piatto e tralasciare il resto).

Con l'età si riducono anche il senso del *gusto* e, soprattutto, dell'*olfatto*;

una riduzione della sensibilità olfattoria sembra interessare il 50% degli anziani, e una percentuale più elevata di persone dementi (pensiamo alla difficoltà di una persona demente che vive sola di avvertire l'odore di una perdita di gas!); il gusto può essere compromesso anche da alcuni farmaci. È importante tener conto di questo calo del gusto e dell'odorato, che può ridurre l'appetito e il piacere di mangiare, cercando di proporre al malato pietanze più saporite.

Tutti i disturbi sensoriali cui si è qui fatto cenno possono limitare ulteriormente la capacità del paziente demente di stabilire una relazione corretta con le persone e con l'ambiente in cui vive, peggiorarne le prestazioni cognitive e favorirne la "fuga" in un mondo sempre più distante dalla realtà che lo circonda.

1.7 I "disturbi comportamentali"

Con il termine "disturbi comportamentali" (o "sintomi comportamentali e psichiatrici della demenza") si intende un complesso di sintomi molto diversi, che possono accompagnare la malattia in tutto il suo decorso. Abbiamo già accennato a come l'apatia e la depressione possano accompagnare l'esordio della malattia: talvolta la depressione persiste anche negli stadi avanzati, che più spesso vedono la persona estraniarsi indifferente dalla realtà in cui vive. Frequenti sono anche manifestazioni di ansia, di euforia, di esaltazione, di disinibizione (la persona usa un linguaggio o compie azioni non appropriate al contesto in cui si trova). Possono comparire deliri (di persecuzione, di gelosia, di latrocinio) e allucinazioni (la persona vede e sente qualcosa che non esiste). Può esserci un'attività motoria ripetitiva e incessante: tipica è la tendenza a girovagare per la casa, tentando magari di uscire per ... andare a casa; ma anche a manipolare tutti gli oggetti che vengono a tiro (o i propri vestiti, le lenzuola del letto ...). La persona può lamentarsi continuamente, confabulare o ripetere, giorno e notte, alcune parole o frammenti di parole.

Si possono infine verificare episodi di agitazione psico-motoria, scoppi d'ira, fenomeni di aggressività verbale e fisica. Si tratta dei sintomi più sconcertanti, più difficili da gestire, più devastanti per le famiglie (che spesso proprio dalla comparsa di queste manifestazioni sono indotte e chiedere il ricovero dei loro cari) così come per il personale di assistenza delle strutture residenziali. Torneremo su questi disturbi; qui è importante anticipare due concetti:

– il "disturbo comportamentale", oltre che la manifestazione di un alterato funzionamento cerebrale, rappresenta spesso l'unica modalità con la quale la persona demente può comunicarci un bisogno ("ho sete"), un disagio ("devo andare in bagno"), una sofferenza emotiva, un dolore fisico: è importante imparare ad interpretare il suo linguaggio;

– il "disturbo comportamentale" può essere scatenato dall'incapacità della persona demente a rispondere correttamente alle richieste che le vengono dall'ambiente, da chi convive con lei e da chi l'assiste.

Una ricerca condotta in una struttura per anziani ha dimostrato come il livello di agitazione degli ospiti dementi sia particolarmente alto il mattino, quando il personale li aiuta a lavarsi e a vestirsi, e durante i pasti: tutti momenti in cui la persona demente – soprattutto se chi l'assiste non ne conosce le capacità e le abitudini – si trova ad affrontare dei compiti superiori alle sue possibilità (non capisce che cosa le stanno dicendo, perché vogliono a tutti i costi farla alzare dal letto dove sta così bene, toglierle il pigiama; non sa cosa fare del sapone che le hanno messo in mano, ...).

Proprio imparando a riconoscere quello che la persona può e non può fare, quali sono le attività, i ritmi, le modalità relazionali che più gradisce, è possibile evitare o almeno controllare queste manifestazioni migliorando la qualità della vita della persona demente e riducendo lo stress e la fatica di chi le assicura il proprio aiuto.

1.8 Le funzioni motorie nella demenza

Negli anziani l'apparato locomotore (che comprende ossa, muscoli ed articolazioni) ed il controllo dei movimenti operato dal sistema nervoso subiscono importanti modificazioni legate a tre fattori: il processo di invecchiamento, la sedentarietà e le conseguenze delle malattie accumulate nel corso di tutta l'esistenza.

Con l'*età* le ossa diventano più fragili, soprattutto nelle donne, e più spesso vanno incontro a fratture anche a seguito di traumi banali. Le articolazioni perdono in parte la loro elasticità, diventano meno mobili, rendendo più problematici alcuni movimenti. La massa muscolare si riduce di volume, di forza, di resistenza.

Anche il controllo neurologico del movimento si modifica, per effetto dell'allungamento dei tempi di reazione, di un equilibrio più precario (è ridotta l'efficienza dei riflessi di raddrizzamento che entrano automaticamente in funzione quando la persona inciampa e rischia di cadere) e della riduzione della sensibilità periferica (che "informa" il cervello sulla posizione nello spazio delle varie parti del corpo); di conseguenza l'anziano quando è fermo allarga i piedi per mantenersi meglio in equilibrio, nel camminare è meno sicuro, riduce la velocità del passo, solleva di meno i piedi e tende a guardare per terra.

Queste modificazioni vengono fortemente accentuate ed accelerate dalla *sedentarietà* che caratterizza le società moderne ed in particolare gli anziani. Il movimento rappresenta infatti lo stimolo principale in grado di favorire la deposizione di sali di calcio nelle ossa, di potenziare i muscoli, di mantenere più libere e flessibili le articolazioni. Un'attività motoria continuativa mantiene inoltre in buona efficienza i circuiti nervosi cerebrali, migliora l'equilibrio, i riflessi, i tempi di reazione. È dimostrato che persone anziane che continuano ad esercitare un'attività fisica adeguata mostrano un invecchiamento motorio molto più lento (le loro prestazioni equivalgono a quelle di persone sedentarie di 20 anni più giovani!), mentre aumentano sia la speranza di vita che la qualità della loro esistenza.

Le funzioni motorie possono infine essere alterate dalle conseguenze di molte *malattie*, purtroppo frequenti in età senile. La perdita "fisiologica", cioè normale per l'età, di massa ossea può infatti essere drammaticamente accelerata dall'osteoporosi, malattia che colpisce in particolare le donne, le cui ossa sono più "sottili" rispetto a quelle degli uomini. Nell'osteoporosi, rispetto alla normale riduzione del tono calcico delle ossa che accompagna l'invecchiamento, cui si dà il nome di osteopenia, aumenta ancora il rischio di frattura, sia a seguito di un trauma che spontanea. Oltre alle ben note fratture del femore, microfratture spontanee delle vertebre possono favorire una posizione in flessione anteriore (cifosi) della schiena, che rende ancor più problematico il mantenimento dell'equilibrio.

Molto più diffusa è l'artrosi, che colpisce più del 50% degli anziani; anche in questo caso le lesioni dell'artrosi si sovrappongono alle modificazioni senili delle strutture articolari causando limitazioni funzionali e dolore (soprattutto il mattino, quando l'articolazione "è fredda"), e rendendo progressivamente più difficile mantenere le proprie attività. Si innescano in questo modo veri e propri circoli viziosi: la persona affetta da artrosi si muove di meno; la ridotta attività motoria accentua rigidità articolare e debolezza muscolare, che a loro volta limitano ulteriormente i movimenti.

Fortunatamente meno frequenti, ma più invalidanti, sono alcune malattie neurologiche. Tra queste ricordiamo in primo luogo le paralisi, che interessano un solo arto (in questo caso si parla di monoparesi), una metà del corpo (emiparesi, causata da una lesione vascolare cerebrale), o dei due arti inferiori (paraparesi, spesso dovuta a lesioni traumatiche del midollo spinale). Il morbo di Parkinson comporta marcata rigidità, difficoltà ad iniziare i movimenti e a cambiarne il ritmo (diventa difficile in particolare cambiare direzione, fermarsi e tornare indietro) e tremori; nelle neuropatie periferiche, che colpiscono in particolare persone affette da diabete, la riduzione della forza muscolare si accompagna alla difficoltà a mantenere l'equilibrio.

Nella persona affetta da demenza alle modificazioni delle funzioni motorie comuni ai loro coetanei possono aggiungersi alcune alterazioni proprie della malattia.

L'apatia, il disorientamento, la perdita degli interessi possono, in una fase iniziale, accentuare ulteriormente l'atteggiamento sedentario. Al contrario, abbiamo visto, alcune persone dementi presentano iperattività fisica e tendenza a deambulare senza sosta – ma anche senza una meta e senza poter valutare eventuali rischi ambientali.

L'aprassia può ostacolare le normali attività della vita quotidiana: può diventare difficile mangiare correttamente o vestirsi o provvedere all'igiene personale. Allo stesso modo l'agnosia può impedire di interpretare correttamente la funzione degli oggetti domestici, che possono divenire fonti di pericolo. L'incapacità ad organizzare i movimenti nella sequenza corretta può rendere complessi anche i cambi di postura, come l'alzarsi dal letto o dalla poltrona.

Con il progredire della malattia, e del coinvolgimento di aree cerebrali sempre più vaste, possono comparire ulteriori disturbi dell'andatura e dell'equilibrio; possono comparire in particolare sintomi di natura "parkinsoniana", come la difficoltà ad iniziare i movimenti e a sollevare i piedi nel camminare e una marcata rigidità (che spesso si accentua quando si cerca di indurre nella persona un movimento: la persona flette il braccio quando tentiamo di farglielo estendere, oppure si spinge all'indietro quando cerchiamo di farla alzare dalla seggiola); la persona può perdere – spesso transitoriamente – il controllo della normale posizione del corpo nello spazio, tende a inclinarsi su un lato, o all'indietro, ha un equilibrio sempre più precario. La rigidità e la presenza di tremore possono ulteriormente limitare i movimenti fini delle mani. Punto d'arrivo sono la perdita completa dell'autonomia motoria e la tendenza del malato – negli stadi terminali – ad assumere una posizione fetale.

I disturbi della funzione motoria danno ragione dell'elevato rischio di caduta che interessa queste persone: rischio accentuato, in tutte le fasi della malattia, dalla compromissione cognitiva, che impedisce la valutazione adeguata dei pericoli ambientali e l'apprendimento dall'esperienza; dall'insufficiente comprensione, secondaria all'agnosia, della situazione in cui la persona si trova; dai disturbi della vista; dall'impossibilità del paziente a controllare le proprie reazioni emotive ed il proprio comportamento; e così via.

Vedremo in seguito come sia possibile assistere correttamente la persona demente con ridotta autonomia motoria e prevenire le cadute, limitandone le drammatiche conseguenze (una frattura di femore può infatti innescare in questi pazienti un rapido aggravamento delle condizioni psico-fisiche).

La seconda parte di questo volume indicherà poi le strategie per mantenere nel tempo e migliorare anche in queste persone l'autonomia motoria.

1.9 Le fasi evolutive della demenza

La demenza può avere una durata variabile: talvolta molto rapida, in alcuni casi di oltre 20 anni, per lo più tra i 7 e i 10 anni.

I suoi primi sintomi sono in genere molto sfumati, difficilmente distinguibili da un banale "esaurimento": la persona è più distratta e smemorata, si stanca più facilmente, non svolge con la solita precisione le normali attività, comincia a trascurarsi; può diventare più nervosa ed irritabile, oppure apatica, passiva. Spesso questi piccoli segni sfuggono anche alla persona ed ai suoi familiari e vengono ricostruiti dopo uno o due anni, al momento in cui ci si rivolge al medico. Altre volte l'interessato è consapevole che "qualcosa non va", e può cercare di nasconderlo, oppure negare con forza o cadere in uno stato depressivo (fig. 1.5).

In genere, in questa prima fase, che precede la diagnosi, la persona riesce ancora a provvedere a se stessa e alla casa, si orienta bene nella zona in cui abita, può continuare a vivere da sola con sufficiente sicurezza.

Per lo più sono le cattive prestazioni della memoria a condurre la persona dal medico. Talvolta sono i familiari a chiederne l'intervento, preoccupati per il cambiamento del tono dell'umore, o della personalità, o per un episodio di disorientamento (la persona "si è persa" fuori casa). Nonostante la maggiore conoscenza di questa malattia – sia da parte dei medici che in generale della popolazione – la diagnosi di malattia di Alzheimer o di demenza viene ancora oggi posta in media dopo 2 anni dalla comparsa dei primi sintomi. Molte persone infatti, ed i loro familiari, tendono a riferire tali sintomi

Figura 1.5 - Disturbi che precedono e complicano la demenza nel corso della sua evoluzione (da Jost e Grossberg, 1996, modif.)

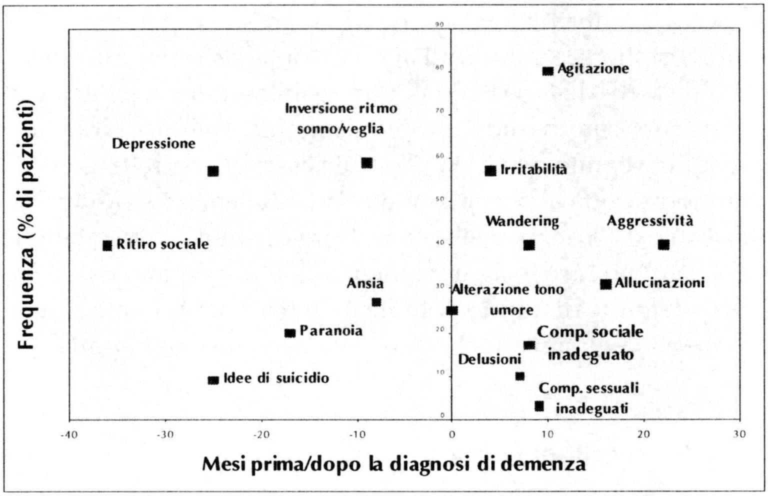

all'età o a una forma depressiva (che, peraltro, può realmente rappresentare il primo segno della malattia); anche il medico, per gli stessi motivi, può inizialmente rimandare una corretta diagnosi. È invece importante che il riconoscimento della malattia sia precoce, perché i farmaci oggi disponibili per la cura della demenza hanno la loro massima efficacia proprio nelle fasi iniziali della demenza.

Al momento della diagnosi (*fase iniziale* della malattia, o demenza di grado lieve) la compromissione delle facoltà mentali è comunque ormai evidente, anche se i sintomi possono variare da persona a persona:

– è presente un disturbo significativo della memoria, soprattutto per gli eventi più recenti e per i nomi, mentre la memoria del passato (la memoria autobiografica) è ben conservata;

– la persona può avere difficoltà ad assumere decisioni o a fare i conti o a risolvere problemi complessi (come, ad esempio, ad eseguire operazioni bancarie), soprattutto se per lui inconsuete;

– la persona perde la capacità di iniziativa, l'interesse per la proprie attività ed i propri hobby;

– compaiono alcuni episodi di disorientamento nel tempo (difficoltà ad indicare la data giusta) e nello spazio, in luoghi non familiari;

– il linguaggio è ancora globalmente conservato, anche se possono comparire errori nella denominazione di oggetti;

– la consapevolezza dei propri deficit accentua nella persona l'ansia, la depressione, la labilità emotiva, l'irritabilità, fino a veri e propri scatti di rabbia.

Man mano passano i mesi i problemi diventano sempre più seri (*fase intermedia* della malattia o demenza di grado moderato):

– la perdita della memoria si aggrava sempre più, spesso accompagnata dalla difficoltà nel riconoscere le persone;

– la persona non si orienta più bene nel tempo e nello spazio: può credere di avere ancora 20 anni e di essere in un'altra città o nella casa in cui ha abitato molti decenni prima; fuori casa non è in grado di orientarsi, non conosce il proprio indirizzo; può scambiare la notte con il giorno e viceversa;

– in queste condizioni il malato non è più in grado di guidare la macchina e di orientarsi nella città, mentre può mantenere più a lungo la capacità di orientarsi nella propria abitazione, di individuare, ad esempio, il bagno (la situazione può precipitare se è costretta a cambiare casa, o a recarsi in ospedale);

– ben presto si perde la capacità di comunicare correttamente: la persona demente parla sempre meno, con linguaggio povero o incomprensibile, o ripete frasi senza senso, non comprende il contenuto di un discorso, non può né leggere né scrivere;

– ogni semplice attività della vita quotidiana (lavarsi, vestirsi, tagliare la carne, versarsi un bicchiere d'acqua) diventa un compito impegnativo, talora un ostacolo insormontabile;

– è frequente l'incontinenza urinaria (più tardiva l'incontinenza fecale);

– pressoché costanti sono alcuni dei disturbi comportamentali di cui si è parlato nel paragrafo 1.7.

Con tutti questi problemi, è evidente, il malato non può restare da solo; se però ha qualcuno che vive con lui (un parente, in genere il coniuge o una figlia o una "badante"), alcune attenzioni ed un buon supporto medico possono consentirgli di vivere ancora a lungo a casa propria.

Più drammatica, e sempre più difficile da gestire al domicilio, diventa la situazione nella *fase avanzata* della malattia (demenza di grado severo).

Il paziente non è più in grado di utilizzare il linguaggio, spesso non riconosce i propri familiari o ne scambia i ruoli (scambia la figlia per la moglie o per la madre). Ormai dipendente in tutte le sue necessità, difficilmente è in grado di muoversi da solo, più spesso è immobilizzato a letto e sollevato di peso in poltrona. Deve essere imboccato, spesso con grosse difficoltà (in questa fase può comparire una disfagia, cioè la difficoltà a deglutire, soprattutto i liquidi).

Nella *fase terminale* il paziente vive ormai una vita vegetativa; le sue condizioni di salute si aggravano progressivamente, si manifestano nuovi problemi neurologici (paralisi, rigidità, contratture degli arti, tremori), si riducono le difese immunitarie, compaiono infezioni polmonari ed urinarie o problemi cardiaci, che sono spesso la causa della morte.

1.10 Ma è sempre demenza?

Prima di approfondire le possibilità di curare ed assistere una persona demente, è importante soffermarci su tre quadri clinici che si presentano nell'anziano con sintomi talvolta sovrapponibili a quelli della demenza, ma che al contrario di quest'ultima possono avere un'evoluzione positiva: il decadimento cognitivo lieve, il *delirium* (o "stato confusionale acuto") e la grave depressione.

Conosciuto anche con il termine di amnesia senile benigna, il *decadimento cognitivo lieve* è un disturbo isolato della memoria in assenza di altri deficit cognitivi (quali l'orientamento, la capacità di critica e di giudizio, il pensiero astratto). La persona, del tutto autonoma nelle sue attività, è preoccupata per i frequenti fallimenti della sua memoria, dei quali ha piena consapevolezza; talvolta sono i familiari a segnalare al medico le frequenti "dimenticanze" del loro congiunto, nel timore di una possibile evoluzione negativa. Una valutazione approfondita delle capacità mentali di questa persona conferma in genere il disturbo della memoria, mentre le altre prestazioni cognitive appaiono del tutto normali.

L'evoluzione del decadimento cognitivo lieve è molto variabile: talvolta persiste, senza che insorgano altri deficit significativi, anche a distanza di molti anni; in una percentuale importante di casi (anche oltre il 40%) il disturbo scompare nel giro di 2-3 anni. In alcuni casi, al contrario, nel corso di qualche anno il problema si complica e compaiono i sintomi della demenza. Anche in questi ultimi casi, comunque, una diagnosi approfondita ed il trattamento precoce – con un approccio riabilitativo e farmacologico – possono rallentarne l'evoluzione e ritardare la comparsa dei sintomi più gravi della demenza.

La persona anziana affetta da *delirium* appare confusa, disorientata nel tempo e nello spazio (non sa che giorno sia, non sa dove si trova), incapace di rispondere correttamente, di ricordare quello che le è successo, anche di riconoscere i volti dei suoi cari. Questa compromissione delle facoltà mentali si accompagna però – a differenza di quanto si verifica nella demenza – ad un'alterazione dello stato di coscienza: la persona è in una sorta di dormi-veglia, può presentare sopore e rallentamento psichico (si parla, in questo caso, di *delirium* ipocinetico); più spesso prevalgono l'irrequietezza, l'agitazione psico-motoria, un intenso eccitamento (*delirium* ipercinetico); a volte i due quadri si alternano (*delirium* misto). Il paziente è spesso in preda ad allucinazioni uditive e visive, vive sensazioni angosciose, non riesce a stabilire un contatto con la realtà ("delirare" significa, appunto, "non essere in sé").

Quello che soprattutto distingue il *delirium* dalla demenza è la modalità della sua insorgenza: talvolta i sintomi compaiono nell'arco di poche ore, qualche altra volta risalgono a qualche giorno o settimana prima; quasi sempre è facile individuarne l'inizio (a differenza di quanto si verifica per la demenza, in cui, come si è visto, l'insorgenza dei sintomi è molto più graduale e difficile da datare) ed una situazione che può esserne responsabile.

Di fatto in una persona anziana, il cui equilibrio psico-fisico è già precario, molte condizioni possono causare una sofferenza cerebrale e scatenare un episodio di *delirium*. Può trattarsi:

– di un episodio infettivo febbrile, soprattutto se accompagnato da disidratazione (molto frequente negli anziani);

– di uno scompenso cardiaco o respiratorio;

– di un'anemizzazione importante, soprattutto se insorta in poco tempo (per un'emorragia gastro-enterica, ad esempio);

– di una grave insufficienza renale o dell'alterata presenza di sali (sodio e potassio) nel sangue;

– dell'effetto di alcuni farmaci;

– ma anche di problemi più banali quali una ritenzione di feci o di urine.

Anche alcuni stress di ordine sociale – un grave lutto, l'improvviso cambiamento di ambiente, il ricovero in ospedale o in casa di riposo – possono causare un episodio di *delirium* in una persona particolarmente fragile.

Il *delirium* è pertanto il "sintomo" di molte situazioni anomale: riconoscerne i fattori causali e correggerli può consentire all'interessato, nella grande maggioranza dei casi, di tornare in possesso di tutte le sue facoltà mentali.

Condizione essenziale per affrontare e risolvere il problema è riconoscerlo. Se, al contrario, un episodio di *delirium* viene scambiato per una demenza, la "guarigione" sarà senz'altro più difficile.

Ovviamente la ricerca dei fattori causali e i conseguenti interventi terapeutici spettano al medico. Ai familiari o a chi si trova ad assistere il paziente, spetta fornirgli tutte le indicazioni necessarie, segnalandogli in particolare la recente insorgenza dello stato confusionale e le situazioni che potrebbero averlo scatenato.

Il terzo quadro clinico che deve essere differenziato dalla demenza è una grave forma di *depressione*, denominata "pseudodemenza depressiva".

Nella maggior parte dei casi la diagnosi di depressione – malattia comune nella vecchiaia – non pone particolari problemi: la persona appare triste, avvilita, chiusa in se stessa; presenta scarso interesse per quanto le accade intorno, rinuncia alle attività consuete, talvolta sembra incapace di compiere efficacemente anche i lavori più semplici; lamenta disturbi della memoria e difficoltà a concentrarsi, ma al colloquio appare lucida, orientata. Talvolta però la perdita dell'interesse alla vita può essere tale che la persona trascura se stessa e la casa, non si preoccupa di mangiare, rifiuta ogni contatto con gli altri, parla sempre di meno e, se sollecitata a comunicare, risponde in modo inadeguato, a monosillabi, dando l'impressione di non capire. L'inappetenza e la conseguente malnutrizione aggravano lo stato di salute generale.

Di fronte ad un quadro simile è molto importante sospettare una forma depressiva: un trattamento farmacologico specifico è infatti solitamente efficace e può risolvere il problema (un tentativo di terapia antidepressiva è anzi consigliabile tutte le volte che ci sia anche un piccolo dubbio di una componente depressiva in una persona apparentemente demente).

2. La malattia

2.1 Le cause della demenza

A partire dagli anni '80 del secolo scorso la demenza è senza dubbio la malattia più studiata in tutto il mondo: eppure non sono ancora del tutto chiariti i suoi meccanismi causali, e le nostre possibilità di prevenirla e curarla sono ancora insufficienti.

Conosciamo meglio la genesi – in medicina si usa il termine "patogenesi" ([1]) – ed i fattori di rischio della demenza vascolare: la perdita delle normali capacità cognitive deriva, in questa forma di demenza, dalla perdita di neuroni e sinapsi causata dal ridotto apporto di sangue al cervello, per effetto di una diffusa riduzione della circolazione sanguigna o come conseguenza di lesioni circoscritte, spesso multiple, di alcune aree cerebrali (infarti cerebrali) dovuti all'ostruzione di un'arteria cerebrale (ischemia) o alla sua rottura (emorragia). Sono noti, della demenza vascolare, anche i cosiddetti fattori di rischio ([2]), che sono gli stessi di tutte le malattie vascolari: il fumo, l'ipertensione arteriosa, il diabete, l'aumento del colesterolo nel sangue, l'obesità, la sedentarietà. Proprio la maggiore consapevolezza dei fattori di rischio delle malattie vascolari ed il loro migliore controllo hanno determinato, negli ultimi decenni, una certa riduzione delle demenze vascolari.

([1]) Modalità con la quale si instaura una malattia (= patologia).

([2]) Mentre parliamo di fattore causale o di causa di una malattia quando vi è un rapporto diretto tra tale fattore e l'insorgenza di una malattia (ad esempio, il bacillo di Koch è il fattore causale della tubercolosi, così come la carenza di vitamina C è la causa dello scorbuto), si parla di fattori di rischio per quei fattori che, pur non determinando obbligatoriamente l'insorgenza di una malattia, ne aumentano la probabilità. Così, anche se il fumo di sigarette non è una causa obbligata del tumore polmonare (che può comparire pure in persone che non fumano, e, viceversa, non manifestarsi in una persona che ha fumato per molti decenni), sappiamo tutti che chi fuma rischia di ammalarsi di tumore molto più di chi non fuma.

Diversa è la realtà delle demenze "degenerative", come l'Alzheimer, che sono peraltro il gruppo più corposo. Sappiamo che nella demenza di Alzheimer il danno cerebrale trae origine dall'accumulo di alcune sostanze tossiche per i neuroni; conosciamo molti dei "passaggi" attraverso i quali si verifica questo accumulo; non conosciamo ancora quale fattore (o quali fattori) sia responsabile dell'avvio del processo. Numerosi studi epidemiologici ([3]) condotti in tutto il mondo hanno nel frattempo individuato alcuni fattori di rischio dell'Alzheimer. Il più importante è, purtroppo, un fattore immodificabile: l'*età*. Abbiamo visto, nel primo paragrafo del cap. I, come il rischio di ammalare di demenza aumenti drammaticamente con l'età, con una percentuale di persone colpite dalla malattia che passa dall'1-2% a 65 anni al 25-30% oltre gli 85! Infatti man mano invecchia anche il cervello, come tutti gli altri organi, va incontro a perdite strutturali e funzionali e diventa più vulnerabile, perdendo più facilmente il proprio equilibrio. Ciò non significa, per fortuna, che la vecchiaia sia la causa della demenza: il 70% dei grandi vecchi ne è infatti indenne, mentre la malattia può comparire anche prima dei 65 anni.

Un altro fattore di rischio immodificabile è la *familiarità*: per una persona che ha dei familiari colpiti dall'Alzheimer il rischio di andare incontro alla stessa malattia è modestamente aumentato. Solo in pochissime forme di demenza però si verifica una vera e propria trasmissione ereditaria da una generazione all'altra, per la presenza di alcune anomalie nel patrimonio genetico: sono le demenze familiari, che insorgono per lo più prima dell'età senile; il loro studio ha consentito di comprendere alcuni meccanismi nella patogenesi della malattia.

Tra gli altri fattori associati alla demenza di Alzheimer grande importanza viene data, dagli studi più recenti, ai *fattori di rischio vascolare* che abbiamo ricordato a proposito della demenza vascolare: la correzione di questi fattori (l'abolizione del fumo, il controllo accurato della pressione arteriosa, un'alimentazione attenta ad evitare l'insorgenza di diabete e di ipercolesterolemia o il loro adeguato trattamento una volta comparsi, una vita più attiva) oltre a prevenire le lesioni vascolari a livello cerebrale sarebbe in grado, secondo questi studi, di ridurre il rischio anche della demenza di Alzheimer.

Particolarmente discusso è il rapporto della *depressione* con la demenza. Può infatti essere la conseguenza della percezione, da parte della persona, dei suoi primi deficit cognitivi; può comparire anche alcuni anni prima

---

([3]) L'epidemiologia è la scienza che studia la diffusione nelle popolazioni delle diverse malattie e la loro associazione con i fattori causali ed i fattori di rischio.

del disturbo della memoria, come primo sintomo della demenza; ma si ritiene che un disturbo depressivo di lunga durata possa rappresentare un vero e proprio fattore di rischio di demenza: in questo caso infatti, come in condizioni di stress prolungato, si verificherebbe un'aumentata produzione di alcune sostanze che esercitano un'azione nociva su alcuni centri cerebrali coinvolti nei processi della memoria.

Notevole interesse ha una serie di studi che collegano il rischio di ammalare di demenza con gli *stili di vita;* secondo questi studi riducono il rischio di demenza:

– un elevato livello di istruzione,

– il mantenimento per tutta la vita, anche in età avanzata, di interessi significativi e di attività intellettive,

– il mantenimento di un'attività fisica continuativa,

– la ricchezza dei rapporti sociali, all'interno ed all'esterno del nucleo familiare, e la qualità di questi rapporti,

– le stesse attività di tempo libero, purché gratificanti,

mentre la probabilità di ammalare aumenta in persone con basso livello di istruzione, sedentarie, che vivono un'esistenza povera di interessi e di contatti sociali.

Una vita attiva sia sul versante fisico che mentale e sociale aumenterebbe infatti la stimolazione cerebrale, rafforzando le connessioni sinaptiche esistenti e favorendo lo sviluppo di nuove. Si potenzierebbe in questo modo la capacità del cervello di adattarsi alle modificazioni indotte dall'età e di "tamponare" il danno associato con gli stadi precoci della demenza, ritardandone così le manifestazioni cliniche.

2.2 La diagnosi

Se il quadro conclamato della demenza appare inconfondibile, molto più difficile può essere – per la persona, per i suoi familiari, spesso per gli stessi medici – individuare tempestivamente i primi sintomi della malattia, che vengono per lo più attribuiti all'età, ad un problema fisico, ad un "esaurimento nervoso". Ancora oggi tra la comparsa di questi primi segnali e la diagnosi passano quasi due anni ([4]), nonostante la disponibilità di alcuni farmaci

---

([4]) AIMA – CENSIS, *La vita riposta: i costi sociali ed economici della malattia di Alzheimer*, Milano, Franco Angeli, 2007.

attivi proprio nelle prime fasi della malattia imponga una maggiore attenzione ad una diagnosi tempestiva.

Certo, è comprensibile la resistenza degli interessati e dei loro familiari ad accettare il dubbio di una malattia così drammatica (quella di demenza, è stato detto, più che una diagnosi è una sentenza!), ma una diagnosi precoce può permettere ai medici di impostare un piano di cura più adeguato; e può consentire, perché no, all'interessato ed alla famiglia di affrontare consapevolmente alcuni problemi delicati (sistemare le questioni economiche, provvedere al testamento, eventualmente individuare una persona di fiducia come amministratore di sostegno, ...).

Vedremo al cap. 5 come su tutto il territorio nazionale siano disponibili alcuni centri – denominati Unità di Valutazione Alzheimer (o UVA) – deputati alla diagnosi della malattia ed autorizzati dal Ministero della sanità ad erogare gratuitamente alcuni farmaci specifici particolarmente costosi.

La diagnosi della malattia è soprattutto clinica: sono fondamentali la raccolta di tutte le informazioni che la persona e i suoi familiari possono riferire, l'osservazione attenta da parte del medico nel corso del colloquio, la somministrazione da parte sua di alcuni test di valutazione delle prestazioni cognitive. Una più approfondita valutazione neuropsicologica (l'esecuzione cioè di una serie di test che indagano la memoria e le altre funzioni cognitive ed affettive), alcuni esami di laboratorio e una TAC cerebrale consentono di escludere altre patologie, di differenziare i diversi tipi di demenza e di quantificare meglio il deficit, così da seguirne l'evoluzione nel tempo in risposta agli interventi terapeutici.

Alcune indagini più specialistiche, più costose e talvolta più "invasive" (è il caso del dosaggio di alcune sostanze presenti nel liquido che bagna il cervello, prelevabile grazie ad una puntura lombare) consentono oggi di attuare una diagnosi molto precoce, quando la persona lamenta solo un disturbo della memoria che le consente, peraltro, una vita del tutto normale (quella situazione, cui abbiamo accennato nel primo capitolo, denominata "decadimento cognitivo lieve"). Allo stesso obiettivo puntano altre linee di ricerca, che stanno cercando di individuare indicatori biologici precoci della malattia più facili da ottenere (ad esempio tramite un semplice esame del sangue). L'utilità – e l'eticità – di diagnosticare una demenza di Alzheimer magari con 3-4 anni di anticipo rispetto alla comparsa dei sintomi clinici è oggi molto discussa, se si tiene conto che le risorse terapeutiche a nostra disposizione sono ancora molto scarse e che non è stato dimostrato il vantaggio del trattamento farmacologico in una fase così precoce. Ma la ricerca e la sperimentazione di nuovi farmaci (e di un possibile "vaccino" contro la demenza) procedono ad ampi passi in tutto il mondo e l'individuazione tempestiva dei primi segni di danno cerebrale potrà presto rivelarsi una strategia essenziale per bloccare o, quanto meno, rallentare significativamente l'evoluzione della malattia.

2.3 La terapia

Nonostante lo straordinario impegno di ricerca destinato negli ultimi due decenni a questa malattia, non è ancora disponibile una terapia causale della demenza ed i farmaci su cui possiamo contare sono pochi ed efficaci su un numero relativamente limitato di malati.

I cosiddetti inibitori dell'acetilcolinesterasi (il Donepezil, la Galantamina, la Rivastigmina) sono oggi quelli più ampiamente utilizzati: efficaci soprattutto nelle forme di grado lieve e moderato, si sono dimostrati capaci di migliorare i sintomi della malattia e di rallentarne l'evoluzione in circa il 50% dei pazienti. La loro prescrizione, così come il loro monitoraggio e la verifica della tollerabilità e dell'efficacia, sono affidati alle Unità di Valutazione Alzheimer.

L'altra molecola che ha dimostrato, negli studi clinici, un'efficacia sia pure limitata è la Memantina, che agisce con meccanismi diversi dagli anticolinesterasici e che può essere utilizzata anche in uno stadio più avanzato della malattia. Purtroppo la scarsità delle prove di efficacia (e il costo elevato) ha indotto il Servizio sanitario nazionale, almeno per ora, a non concederne la somministrazione gratuita.

Altri farmaci, quali il Ginko Biloba, o la Selegilina o la Vitamina E, pur essendo tuttora utilizzati nella cura della demenza, hanno un'efficacia molto dubbia. Si tratta di farmaci che condividono un'azione antiossidante che potrebbe, a livello teorico, proteggere il cervello da lesioni causate da alcuni prodotti del suo normale metabolismo, i cosiddetti radicali liberi. Purtroppo anche il loro utilizzo a scopo preventivo si è dimostrato inefficace, mentre sembra utile una dieta ricca di alimenti (frutta e verdura fresca, frutta secca, ...) ad alto contenuto di antiossidanti naturali.

Ma il trattamento del paziente demente va ben al di là della somministrazione di farmaci specifici (tab. 2.1). A parte la promozione di quegli stili di vita favorevoli cui si è accennato nel primo paragrafo di questo capitolo, che mantengono la loro utilità anche quando la malattia si è instaurata, almeno altre quattro linee di intervento sono fondamentali:

Tabella 2.1

Il trattamento del paziente demente
– terapia farmacologica dei disturbi cognitivi – terapia non farmacologica – trattamento della depressione e dei disturbi comportamentali – controllo periodico e trattamento delle patologie concomitanti – trattamento delle patologie intercorrenti – identificazione e correzione della malnutrizione – informazione, consulenza e supporto psicologico ai familiari ed agli altri *caregiver* (5) – servizi domiciliari, semi-residenziali e residenziali, temporanei e definitivi

1. il *mantenimento delle funzioni cognitive residue e dei livelli di autonomia* della persona: gran parte del prossimo capitolo sarà dedicato a fornire indicazioni su questo importante obiettivo, che è per lo più affidato a chi vive ogni giorno con il malato, che deve però poter contare sul sostegno e sulle indicazioni di medici ed operatori esperti;

2. la gestione attenta di tutte le *malattie somatiche* concomitanti o intercorrenti: proprio la difficoltà per il paziente demente ad esprimere i propri disagi impone una gestione più attenta delle malattie croniche (soprattutto il diabete e le malattie cardiovascolari, che sono fattori di rischio dell'Alzheimer, ma anche la "banale" artrosi, particolarmente frequente con il suo corredo di sintomi dolorosi, soprattutto nelle donne) e delle possibili malattie acute (una forma influenzale, un'infezione delle vie urinarie) di cui la persona demente può soffrire tanto quanto tutti i suoi coetanei. Vedremo come un problema di salute somatica possa essere responsabile di un peggioramento delle prestazioni cognitive o della comparsa di disturbi comportamentali anche molto difficili da gestire;

3. il *trattamento della depressione e dei disturbi comportamentali*: quando le strategie non farmacologiche, di cui parleremo nel prossimo capitolo, si rivelano insufficienti, il nostro medico o lo specialista dell'UVA possono consigliarci alcuni farmaci in grado – se ben utilizzati – di risolvere o almeno ridurre questi problemi che incidono pesantemente sulla qualità della vita dei pazienti e di chi li assiste (ma è bene ribadire che tali farmaci devono essere utilizzati sotto stretta sorveglianza medica: nel paziente demente, infatti,

(5) *Caregiver*: termine inglese che indica colui (o colei) che assiste, che presta cura; si applica sia al personale dei servizi (*caregiver* "formale") che ai familiari (*caregiver* "informale").

alcune molecole utilizzate, ad esempio, a scopo sedativo possono aggravare la confusione ed avere un effetto paradosso, aumentando anziché riducendo l'agitazione);

4. l'utilizzo di *interventi non farmacologici*: sono in genere proposti dai servizi dedicati a questi malati (ospedali diurni, centri diurni), ma anche i familiari possono apprenderne i principi di base e le tecniche e applicarli nella vita quotidiana. Ricordiamo in particolare:

– la terapia di orientamento alla realtà, che cerca di aiutare la persona – nelle prime fasi della malattia – a mantenere l'attenzione alla realtà che lo circonda, l'orientamento nello spazio e nel tempo, l'uso del linguaggio;

– le strategie di potenziamento della memoria, che sollecita la persona a recuperare i ricordi legati alla propria esperienza di vita (terapia della reminiscenza) e a consolidare alcune informazioni favorendone l'associazione con situazioni, persone, oggetti, emozioni della vita quotidiana (*memory training*);

– la terapia della validazione, attraverso la quale il terapista – o chi assiste o vive col malato – anziché cercare di ricondurlo alla realtà cerca di immedesimarsi nel suo mondo e di mettersi in sintonia con le sue esperienze ed i suoi vissuti;

– la musicoterapia, che si propone di stimolare le capacità comunicative della persona demente (attraverso l'utilizzo di diversi strumenti musicali, il canto, la danza, i movimenti ritmici del corpo); di evocare in lei, grazie a motivi musicali familiari, sensazioni, emozioni e ricordi significativi; di favorire il rilassamento ed il benessere, riducendo l'agitazione e gli altri disturbi del comportamento;

– la terapia assistita dagli animali o *Pet therapy*, che valorizza l'immediatezza del rapporto tra l'uomo e l'animale: la presenza di un cane o di un altro animale può favorire la capacità della persona demente di comunicare, rassicurarla, contenerne l'agitazione e l'aggressività;

– l'attività fisica che, come vedremo più estesamente negli ultimi capitoli del libro, migliora nel malato sia lo stato di salute che i livelli di autonomia ed esercita un effetto positivo sulle capacità cognitive e sul tono dell'umore.

Molti altri approcci sono stati utilizzati per migliorare il benessere della persona demente e per prevenire o gestire i disturbi comportamentali:

– attività espressive (pittura, manipolazione);

– cura dell'orto o del giardino;

– stimolazione sensoriale (aromaterapia, somministrazione contemporanea di stimoli sensoriali molteplici: visivi, tattili, acustici, olfattivi);

– tecniche di rilassamento (massaggi e manipolazioni, idromassaggio);

– partecipazione a funzioni religiose (che possono avere un forte impatto emotivo sulla persona demente, favorendo il riemergere di comportamenti rituali e di ricordi gratificanti);

– incontri con i bambini, soprattutto quelli in età prescolare (che più facilmente utilizzano, nella relazione con l'anziano demente, la comunicazione affettiva, corporea, gestuale, il gioco, la commistione tra realtà e fantasia, e che rievocano nell'anziano quel ruolo di adulto – di accudimento, di protezione – che la malattia tende a negargli).

La risposta di ogni singolo malato alle diverse proposte dipenderà dalla sua storia personale e professionale, dalle attitudini e dagli interessi che ha sviluppato nel corso della vita, ma anche, ovviamente, dallo stadio della malattia, dal livello di compromissione delle funzioni cognitive, da eventuali deficit sensoriali, neurologici, motori. Spetterà agli operatori professionali, ma anche ai familiari, individuare le attività cui è in grado di partecipare e che più gli sono gradite, evitando di perseguire programmi troppo rigidi: nella consapevolezza che obiettivo di ogni intervento di stimolazione, cognitiva e non cognitiva, non è tanto potenziare le prestazioni della persona demente quanto piuttosto promuoverne il benessere, anche momentaneo, migliorando la qualità della sua vita.

3. Come essere utili

3.1 Inguaribile non significa incurabile!

Anche di fronte alla demenza, malattia progressiva ed irreversibile per eccellenza, non dobbiamo arrenderci. Certo, non è facile per i familiari veder svanire giorno per giorno l'immagine vera della persona – il coniuge, un genitore – cui sono profondamente legati, faticare a riconoscerla nelle nebbie della memoria, nel progressivo venir meno dei molteplici interessi che ne riempivano la vita, nell'improvviso irrompere di un'inspiegabile agitazione, nella difficoltà a compiere anche i più semplici atti della vita quotidiana.

Eppure molto si può fare per aiutare la persona ammalata a mantenere più a lungo la sua autonomia e la sua identità, a non perdere, anche nelle fasi più avanzate della malattia, la sua dignità; e molto si può fare per aiutare chi vive con lei ad affrontare con maggiore consapevolezza il proprio impegno assistenziale, a vivere con maggior serenità il suo "giorno di 36 ore" ([1]).

Prima di affrontare le diverse problematiche poste dalla cura quotidiana di una persona demente, è importante elencare alcuni suggerimenti generali:

– innanzitutto, conoscere la malattia, i suoi sintomi (cognitivi, neurologici, affettivi, psichiatrici, comportamentali), la sua evoluzione nel tempo. Proprio perché si tratta di una malattia lunga e complessa, le cui manifestazioni sono molto diverse da persona a persona, non dobbiamo stancarci di migliorare le nostre conoscenze, ricorrendo all'aiuto dei medici e degli altri professionisti che più si occupano della demenza (ne riparleremo nel capitolo 5), ma anche dei familiari che condividono con noi l'esperienza di cura di un

---

([1]) È il titolo originale di un bel volume di Mace N.L. e Rabins P.V., dedicato ai familiari delle persone dementi, a "tutti coloro che dedicano 36 ore al giorno all'assistenza di persone con sindrome demenziale", tradotto in italiano con il titolo *Demenza e malattia di Alzheimer* dalla casa editrice Erickson di Trento nel 1995.

malato di Alzheimer (vedi al capitolo 4 paragrafo 4.5). Sono inoltre disponibili numerose pubblicazioni e siti internet rivolti ai familiari (alcuni sono riportati alla fine di questo volume), ricchi di informazioni, di notizie, di indicazioni, di suggerimenti pratici;

– capire che cosa la persona è in grado e che cosa non è più in grado di fare, cercando di conservare le funzioni ancora presenti senza chiederle prestazioni al di fuori delle sue capacità;

– rilevare tempestivamente i problemi nuovi: un brusco peggioramento delle funzioni cognitive, l'insorgenza di un'insolita agitazione, la perdita dell'appetito o del sonno possono essere sintomi di una malattia somatica (un disturbo digestivo, un'infezione urinaria, uno scompenso cardiaco, ...) che deve essere diagnosticata e la cui cura può ripristinare l'equilibrio precedente;

– ricordarci che i comportamenti che più ci turbano nella persona demente sono indipendenti dalla sua volontà;

– mantenere il controllo di noi stessi: la nostra irritazione, il nostro nervosismo si trasmettono immediatamente alla persona ammalata, rendendola a sua volta più nervosa, irritabile, più difficile da gestire;

– saper accettare anche le sconfitte: possono esserci di aiuto l'affetto, il buon senso, la capacità di adattarci, l'ottimismo, anche una certa dose di umorismo;

– non esitare a chiedere aiuto (agli altri familiari, alle istituzioni, ad operatori privati): se pure "nessuno è in grado di fare quello che sappiamo fare noi", dobbiamo preoccuparci anche della nostra salute, fisica e psicologica. Se non altro per poter continuare ad essere utili al malato: una persona logorata non avrà le sufficienti serenità e forza d'animo per svolgere al meglio i suoi compiti quotidiani.

3.2 Memoria e orientamento

Nella fase iniziale della malattia la persona demente può ancora conservare una discreta memoria degli eventi più lontani, identificare correttamente, con il loro nome, le persone con cui vive, orientarsi in casa e nei percorsi abituali. Perde invece rapidamente il ricordo dei fatti più recenti: può dimenticare nel giro di pochi secondi ciò che ha appena fatto; può ripetere continuamente una domanda non riuscendo a ricordare di aver già ottenuto la risposta. Ha difficoltà a riconoscere persone che non vede da tempo. Può avere difficoltà ad orientarsi in ambienti o lungo percorsi non abituali. Allo stesso modo ha difficoltà a ricordare il giorno, il mese e l'anno in corso, anche se può ancora ricordare la propria data di nascita e perfino i suoi anni.

In questa fase può essere utile cercare di sostenere la memoria con ausili mnemonici, quali avvisi e cartelli, almeno finché la persona è in grado di leggere e di comprendere il messaggio scritto oppure ricordando alla persona le cose che dimentica o sollecitandola a riconoscere e chiamare con il proprio nome le persone più vicine o gli oggetti di uso comune.

L'uso di orologi e di calendari leggibili e ben in vista può potenziare, oltre che la memoria, anche l'orientamento temporale. Per rafforzare la percezione del tempo è bene che la giornata sia scandita dal ripetersi regolare delle diverse attività (i pasti ad orari fissi, la passeggiata, il riposo, ...), dal riproporsi quasi rituale dei gesti, delle frasi, di elementi di contesto (la musica, ad esempio) che accompagnano, rinforzandoli, i singoli comportamenti.

Gli ambienti di vita devono essere in ordine, si devono evitare il rumore eccessivo, la confusione, le luci abbaglianti, che tendono a creare confusione. Al tempo stesso devono essere mantenuti, o creati, tutti quei riferimenti (indicazioni scritte, fotografie, oggetti familiari) che possono favorire l'orientamento ed il riconoscimento dei diversi locali: per aiutare la persona, ad esempio, ad individuare la stanza da bagno, sarà utile scriverne il nome sulla porta o rappresentarla con un disegno. Se si sveglia di notte, per recarsi in bagno, si disorienta più facilmente: può essere utile pertanto che sia nella camera da letto che in bagno resti sempre accesa una luce attenuata.

Chi convive con il demente – o chi lo assiste – può cercare di "riportarlo alla realtà" aiutandolo a concentrarsi e ribadendo quotidianamente i riferimenti di tempo e di spazio: il risveglio mattutino, ad esempio, può essere l'occasione per ricordare insieme l'ora, il giorno, il mese e la stagione; durante la passeggiata pomeridiana si potrà verificare che tempo fa, ripetere il nome delle strade, salutare con il loro nome persone conosciute... Preparare insieme la tavola, oltre a mantenere le capacità residue, aiuta a ricordare l'ora del pranzo. Sono tutti "compiti" da proporgli con molto tatto, evitando di affaticarlo, pronti a fermarsi se egli appare innervosito o frustrato dalla difficoltà a rispondere correttamente, attenti ad utilizzare il rinforzo positivo.

Man mano si aggravano la perdita della memoria ed il disorientamento la persona demente perde i riferimenti con il presente e con il suo ambiente di vita, ha difficoltà a riconoscere i suoi familiari, scambia la moglie per la mamma, la figlia per la moglie; non riconosce la sua abitazione, vorrebbe "tornare a casa sua" (quella in cui ha abitato alcuni decenni prima, magari prima di sposarsi); talvolta lo specchio gli rimanda, invece della sua immagine, il volto di uno sconosciuto (al punto che può essere necessario rimuovere o mascherare tutti gli specchi).

In questo stadio cercare di riportare il demente alla realtà è del tutto inutile, spesso controproducente: la realtà – "questa, e non altra, è la tua casa; la tua mamma è morta da 20 anni" – può essere difficile da accettare, può causare tristezza, rabbia, disperazione, agitazione. Meglio in questi casi assecondarlo, stare al gioco, sintonizzarsi con il periodo e con la realtà cui lui si riferisce, proporgli eventi piacevoli riferiti a quel periodo o eventualmente cercare di distrarlo se persiste nelle sue richieste incongrue.

3.3 Comunicare con la persona demente

Abbiamo visto, nel primo capitolo, come la demenza comporti sempre grossi problemi tanto nell'esprimersi quanto nel comprendere gli altri.

All'inizio può esserci per la persona demente solo una difficoltà a trovare le parole giuste, a ricordare i nomi delle persone care, a denominare correttamente gli oggetti d'uso, a capire il significato di quanto le viene detto.

In questa fase può essere opportuno cercare di rinforzare l'uso del linguaggio, sollecitando la persona a parlare, ad utilizzare il termine giusto nell'indicare gli oggetti, a ripeterne il nome. Il nostro linguaggio dovrà essere semplice, chiaro, concreto, senza astrazioni, rinforzato dai gesti, dal tono della voce, dalla mimica facciale e corporea. Nella conversazione dovremo evitare al massimo le domande (che richiedono al malato un maggior sforzo mentale per formulare la risposta); se necessario, dovremo porre una domanda per volta, lasciandogli il tempo di rispondere, rilanciando il discorso a partire dall'ultima frase o dalle ultime parole da lui dette. Un ambiente tranquillo, non troppo affollato, renderà più facile la conversazione, evitando di distrarre e confondere il nostro interlocutore.

Con il progredire della malattia il linguaggio del demente diventa sempre più povero riducendosi a pochi suoni, spesso utilizzati in modo improprio (il sì o il no, ad esempio, non significano obbligatoriamente affermazione o negazione); talvolta – abbiamo visto – è invece ricco, fluente, ma fatto di una sequela disordinata di parole senza alcun significato. Allo stesso modo può essere del tutto persa la comprensione del linguaggio sia parlato che scritto, perfino l'interpretazione dei simboli (la scritta WC, piuttosto che il disegno di un water potranno non essere più sufficienti a fargli identificare la stanza da bagno).

La comunicazione verbale viene sostituita, a questo punto, dalla comunicazione non verbale: dobbiamo imparare ad "interpretare" quanto il malato ci vuole comunicare dalle sue espressioni facciali, dal suo comportamento, dai sentimenti – di preoccupazione, di tristezza, di gioia – che ci trasmette con il suo corpo. E imparare ad utilizzare, per comunicare con lui, gli stessi "codici": la mimica facciale, il tono della voce, la posizione ed i movimenti del nostro corpo, il contatto fisico. Il demente può aver perso completamente la capacità di capire il significato delle parole, ma comprende bene il nostro stato d'animo; può avvertire la nostra stanchezza, la nostra frustrazione, la nostra irritazione, anche se cerchiamo di mascherarla con parole gentili; ma sente anche, dal modo con cui gli parliamo o ci accostiamo a lui, la nostra disponibilità nei suoi confronti e il nostro affetto. E avverte, soprattutto, la grande forza di comunicazione che sappiamo esprimere con il contatto fisico: una carezza, una coccola, un abbraccio, possono essere molto più eloquenti, e convincenti, di mille parole (gli affetti e le emozioni, che rappresentano per noi la prima modalità di comunicazione con gli altri, sopravvivono alla perdita della memoria).

3.4 Le attività della vita quotidiana

Nel corso della sua evoluzione, la demenza comporta per la persona la perdita progressiva della capacità di continuare a svolgere correttamente le proprie attività: dapprima quelle più complesse (il lavoro, le attività culturali, gli hobby che richiedono maggior concentrazione e precisione), poi quelle di tutti i giorni (guidare la macchina, fare le spese, utilizzare il denaro, preparare da mangiare, assumere le medicine, ...) e infine le attività definite "di base" perché indispensabili alla sopravvivenza dell'individuo, quali provvedere alla propria igiene, vestirsi, camminare, mangiare, utilizzare i servizi igienici. Proprio il forte impatto sull'autonomia della persona distingue la demenza dal decadimento cognitivo lieve cui abbiamo accennato nel primo capitolo.

Si tratta, fortunatamente, di un processo graduale e piuttosto lento. Al declino della memoria episodica, abbiamo visto, fa infatti da contrappeso la discreta tenuta della memoria procedurale: a lungo la persona demente può mantenere la capacità di lavarsi, di vestirsi, di controllare gli sfinteri, anche se è del tutto disorientata nel tempo e nello spazio, anche se nemmeno riconosce la casa in cui vive da anni.

La difficoltà a mantenere le proprie attività e i propri interessi, lavorativi e di tempo libero e la tendenza a "ritirarsi" sempre più in se stessi possono rappresentare uno dei primi sintomi della malattia, spesso – come abbiamo visto – confusa con una depressione. Una volta acquisita la diagnosi, è molto importante perciò sollecitare la persona a mantenere tutte le attività che è ancora in grado di svolgere: uscire di casa, incontrare altre persone, vivere esperienze diverse, anche mantenere gli interessi domestici di sempre (seguire l'orto, lavorare a maglia, giocare a carte, ascoltare la musica, guardare alla televisione le partite di calcio, ...) rappresentano stimoli importanti per un cervello che cerca di adattarsi alle ferite inferte dalla malattia, contribuiscono a rafforzarne le capacità funzionali non ancora danneggiate.

Lo stesso principio vale lungo tutto l'arco della malattia: la persona demente deve continuare a fare tutto ciò che riesce, a dare una mano nella gestione della casa, a lavarsi, a vestirsi, a mangiare autonomamente. È meglio che faccia, da sola, in modo impreciso, piuttosto che perda anzi tempo la sua autonomia.

L'organizzazione della giornata con una persona demente dipende dalle caratteristiche della persona stessa: l'età, il sesso, il carattere, lo stato di salute complessivo, il vissuto precedente; dall'ambiente dove la persona vive (l'abitazione, un centro diurno), dalla presenza continuativa di un familiare o di una persona di assistenza, o dai contatti più saltuari con altri parenti o amici (ai pasti, alla sera, nei giorni festivi...). E poi, ovviamente, dallo stadio della malattia: nelle fasi iniziali sono possibili attività che più avanti non sono fattibili, i momenti difficili possono alternarsi ad una certa lucidità che permette di sollecitare l'interesse del soggetto.

La vita in famiglia offre spunti importanti per motivare le azioni del paziente: ad esempio la prima colazione con tutti, i saluti di chi esce per le proprie incombenze e quindi l'attesa del ritorno a casa dei vari componenti la famiglia, la visita di vicini o di amici o di persone di assistenza.

La giornata deve alternare i necessari periodi di riposo, le attività di cura di sé (lavarsi, vestirsi, fare il bagno), tutte le attività legate all'alimentazione (dall'acquisto degli ingredienti, alla preparazione del cibo, al consumo dei pasti, al riordino della cucina, ecc.), a momenti di svago come una passeggiata, un gioco con la palla, lo scambio affettivo con eventuali nipotini.

La sequenza regolare di queste attività, abbiamo visto, può contribuire nelle prime fasi della malattia a rafforzare il senso del tempo; talvolta invece, soprattutto quando la persona è più irritabile, può essere più utile una maggiore elasticità: anche gli orari dell'alzata dal letto o il momento in cui si aiuta la persona a lavarsi e vestirsi possono essere adattati di giorno in giorno alla disponibilità del malato.

È sempre importante trovare il modo di coinvolgerlo in qualche azione che contribuisca alla vita comune oltre che alle sue esigenza personali. Qualche volta è possibile che tale coinvolgimento riguardi il vissuto precedente, lavorativo o hobbistico: per le donne aiutare in cucina, nella gestione della casa o fare la maglia (anche se in modo non molto preciso), per gli uomini qualche piccola attività di bricolage, per entrambi – se ne hanno la possibilità – il giardinaggio ([2]). Occuparsi dell'orto o del giardino, sia pure con l'aiuto degli altri, può essere molto gradito e stimolante. Se non si dispone di un giardino, anche le piante ornamentali o degli ortaggi seminati e coltivati nei vasetti sul balcone possono rappresentare un motivo di interesse: curare le foglie ed i fiori, seguire il seme che germoglia e che cresce e la piantina che fiorisce e può dare frutti.

Un altro motivo di interesse può essere rappresentato dall'accudire un animale: un uccellino o un criceto non comportano un impegno troppo gravoso da parte di chi assiste; senza dubbio più comunicativi sono il cane (più facile da accudire se si dispone di un giardino) o un gatto, generalmente più autonomo. La compagnia di un animale domestico dà al malato la possibilità di uno scambio affettivo molto immediato, gli è facile comunicare con lui, anche quando gli è diventato difficile farlo con i suoi simili.

Molte altre possono essere le attività che riempiono la giornata, anche se si deve tener conto che l'età e la malattia spesso richiedono a queste persone periodi di riposo più prolungati: attività che è bene facciano riferimento agli interessi precedenti del malato, come ascoltare la musica preferita, cantare, ballare, dipingere, manipolare oggetti (riviste, fotografie, indumenti, bottoni, ...) ([3]), passeggiare a braccetto con qualcuno, guardare cartoline, fotografie, diapositive, filmati di soggetti graditi (meglio le cassette dei programmi

---

([2]) "Mio padre era un meraviglioso giardiniere, sicché sono rimasta atterrita il giorno in cui ha cominciato a scavare buche nel suo bel prato. Inizialmente ho provato ad attirarlo in casa, verso la macchina, in qualsiasi posto, pur di impedirgli di rovinare il prato. Poi ad un tratto mi sono accorta di ciò che stava facendo: stava lavorando! ... Laddove un tempo aveva creato meravigliose aiuole, ora scavava buche ... quest'attività era la migliore versione delle sue competenze precedenti, che era ancora in grado di svolgere: scavare buche equivaleva a fare giardinaggio... Così l'ho incoraggiato a scavare buche, e io le riempivo". JONES M., *Gentlecare. Un modello positivo di assistenza per l'Alzheimer*, Roma, Carocci Faber, 2005, p. 19.

([3]) "Rovistare: tra riviste, borse, vecchie carte, cappelli, sciarpe, cartoline, gioielli, scatoline; in cofanetti pieni di foto, merletti, bottoni, conchiglie, gioielli, cappelli, sciarpe, abiti; in cassettoni pieni di tesori". JONES M., *op. cit.*, p. 208.

televisivi ordinari), anche riproposti più volte; assistere ad una cerimonia religiosa, anche in televisione (su una persona credente ha in genere un effetto emotivamente coinvolgente e tranquillizzante).

3.5 La cura di sé

Lavarsi, fare il bagno, vestirsi, utilizzare i servizi igienici, mangiare: sono normalmente definite attività di base della vita quotidiana, perché rispondono ai bisogni fondamentali della persona. La difficoltà a svolgere autonomamente queste attività è senza dubbio umiliante per chi deve chiedere aiuto, imbarazzante per il familiare che lo deve accudire. La conoscenza della malattia e la comprensione dei problemi della persona, insieme alla capacità di stabilire con lei una buona relazione affettiva, possono però trasformare queste attività da fonte di stress a momenti di piacere, non più una *routine* fastidiosa e faticosa (per chi è aiutato e per chi aiuta) ma appuntamenti importanti e piacevoli della vita di tutti i giorni.

In primo luogo, dobbiamo aiutare la persona a "superare" i limiti che le sono imposti dai deficit della memoria e dell'attenzione, dall'aprassia, dall'agnosia. In forza di quest'ultimo disturbo – l'agnosia – la persona può, ad esempio, non cogliere la relazione tra la stanza da bagno e l'atto di lavarsi i denti: se le si mette in mano uno spazzolino e la si aiuta ad iniziare il movimento, riuscirà a ritrovare le sequenze di un'operazione compiuta automaticamente per tanti anni. L'aprassia rende spesso difficile vestirsi adeguatamente: la persona è in grado di indossare i diversi capi del vestiario, ma può invertirne la sequenza (*La sottoveste sopra la gonna* è il titolo di un bel libro scritto da un noto geriatra) ([4]) o indossare nuovamente la biancheria sporca o calze di colore diverso. Possiamo aiutarla predisponendo i diversi capi di vestiario nell'ordine esatto o suddividendo il compito in atti più semplici e chiedendole di eseguirli uno per volta ("togli la giacca del pigiama, ora prendi la camicia dalla seggiola, infila il braccio destro, ..."). Quando la comprensione del linguaggio è compromessa, è utile mimare l'atto che la persona deve compiere, aiutarla ad iniziarlo per poi lasciarla proseguire da sola: *fare insieme* è sempre più efficace che *fare per*.

([4]) Bigatello G., Barzago (LC), Marna Editrice, 2006.

Alcune semplici attenzioni possono aiutarci ad ... aiutare la persona a mantenere la propria autonomia:

– scegliere il momento più adatto: se è bene, di norma, mantenere regolare nel corso della giornata la sequenza delle diverse attività, dobbiamo imparare a rispettare i ritmi propri di ogni persona (qualcuno sarà subito sveglio e pronto ad affrontare il difficile compito di lavarsi e vestirsi; qualcun altro avrà un risveglio più lento e potrà essere utile rinviare queste operazioni dopo la prima colazione), ma anche ad accettare che non tutti i giorni siano uguali (se la persona, sollecitata a recarsi in bagno per lavarsi, si dimostra in quel momento contrariata ed insofferente, proviamo a rinviare l'operazione: insistere potrebbe rivelarsi controproducente);

– dotarsi di tutto il tempo, e di tutta la pazienza, necessari: anche le più semplici attività della vita quotidiana possono rappresentare un grosso impegno per una persona demente; se avverte in noi fretta, impazienza, insofferenza, diventa a sua volta più nervosa, la sua percezione di inadeguatezza si fa più acuta, le sue prestazioni peggiorano, le difficoltà aumentano, per lei e per noi;

– prestare attenzione al comfort ambientale: individuare la temperatura più adeguata (alcune persone dementi sono particolarmente sensibili al freddo, altre al caldo); evitare suoni e rumori (la televisione, o la radio) che possano distrarre la persona, che ha difficoltà a concentrarsi (può essere utile, al contrario, il sottofondo di una musica gradita all'interessato);

– mantenere una presenza rassicurante, affettuosa, ma attenta al tempo stesso al rispetto della riservatezza della persona, che accetta malvolentieri di aver bisogno di aiuto in attività intime, come lavarsi, vestirsi e andare in bagno (potrà essere sufficienti mantenersi silenziosi o rimanere al di fuori del suo campo visivo);

– utilizzare tutti gli accorgimenti che agevolano le varie attività della vita quotidiana: alcune semplici soluzioni possono rendere più fruibili i diversi ambienti della casa (lo vedremo in uno dei prossimi paragrafi); le cerniere lampo o il velcro sono più semplici da usare dei bottoni; le scarpe senza stringhe sono più facili da calzare; la minestra può essere bevuta più facilmente da una tazza che raccolta con un cucchiaio da un piatto fondo, e così via;

– trasformare un'attività di routine, o addirittura noiosa, in un gioco, in un'occasione di scambio affettivo;

– di fronte agli insuccessi, così come al rifiuto da parte della persona (di lavarsi, di fare il bagno, di cambiarsi), prendere tempo, cercare di distrarla, proporle motivazioni gratificanti ("dobbiamo preparaci per uscire") o cercare altre strade (alcune persone dementi possono aver paura dell'acqua: può essere utile sostituire al bagno la doccia o una spugnatura, in un ambiente caldo, reso gradevole dalla musica, dai profumi ...);

– se, nonostante tutti i nostri sforzi, l'assistenza nelle attività della vita quotidiana diventa sempre più impegnativa, non esitiamo a chiedere aiuto: sia per capire meglio le difficoltà che incontriamo (come abbiamo visto, i problemi in campo possono essere molteplici e può essere arduo orientarci da soli, senza il supporto di operatori esperti), sia per condividere con altri l'onere della cura. Ci sono, certo, problemi di ordine pratico (scarsa disponibilità di servizi pubblici, elevati costi dell'assistenza privata): ma quando la nostra stanchezza, lo stress di un impegno quotidiano, hanno superato un livello di guardia, difficilmente possiamo aiutare il nostro congiunto; al contrario, finiremo per innervosirlo, per accentuarne il rifiuto, l'irritabilità, le reazioni negative (mentre non è raro che la presenza di un estraneo abbia su di lui un effetto positivo: come se si facesse riguardo a contrariarlo).

Un aiuto esterno diventa ancor più indispensabile negli stadi avanzati della malattia, quando l'ammalato perde ogni capacità di provvedere a se stesso, diventa incontinente, si muove con difficoltà sempre maggiori, finché è costretto a letto o in carrozzella, del tutto dipendente nei trasferimenti.

In questa situazione risulta presto impossibile per una sola persona assicurare l'assistenza necessaria. È poi essenziale conoscere le tecniche più adeguate: in caso contrario, cambiare una persona nel letto, sistemarle un pannolone per l'incontinenza, farle assumere la posizione corretta, aiutarla ad alzarsi o alzarla di peso, lavarla nel letto o sotto la doccia, sono operazioni tutt'altro che semplici, faticose, che – giorno dopo giorno – possono mettere a repentaglio la salute di chi le compie e comportare alcuni rischi anche per l'assistito.

3.6 I bisogni fisiologici

L'incontinenza, cioè la perdita del controllo degli sfinteri (prima quello urinario, poi quello fecale), rappresenta uno degli eventi più problematici, e traumatici, nella storia di un paziente demente, che mette a dura prova la capacità della famiglia di continuare ad assisterlo a casa. Alcuni accorgimenti ci consentono comunque di aiutarlo a mantenere a lungo il controllo di queste delicate funzioni. Già abbiamo accennato all'utilità che la stanza da bagno sia facilmente identificabile, anche durante la notte. Così può essere utile distinguere bene – magari usando colori diversi – il water dal bidet e mettere a portata di mano la carta igienica. Ancora, abiti facili da togliere ed indossare aiutano la persona a recarsi in bagno da sola.

Quando inizia a presentare qualche difficoltà ad utilizzare da sola i servizi igienici, o ancora di più ad identificare correttamente lo stimolo alla minzione (l'emissione dell'urina), possiamo aiutarla sollecitandola a recarsi in bagno o accompagnandola, ogni 2-3 ore durante la giornata, così da evitare che un eccessivo riempimento della vescica possa causare qualche "incidente". Anche negli stadi più avanzati della malattia, quando la persona non è più in grado di esprimere le proprie necessità, l'attenzione al suo comportamento (la comparsa di un'inquietudine, una particolare gestualità, il suo lamentarsi) può aiutare ad individuare il bisogno di urinare. L'incontinenza urinaria notturna può essere evitata riducendo l'eccessivo apporto di liquidi la sera, ed eventualmente programmando un'alzata durante la notte. L'incontinenza non è peraltro da imputarsi obbligatoriamente alla demenza: soprattutto la sua comparsa improvvisa deve essere segnalata al medico curante, per escludere altre cause curabili (un'infezione delle vie urinarie, ad esempio, o la stitichezza ostinata o uno scompenso cardiaco che causa un aumento significativo delle minzioni notturne). Sono oggi disponibili diversi presidi per l'incontinenza (dalla cosiddetta "striscia protettiva" al pannolone-mutandina a quello sagomato alla traversa salva-lenzuola) che possono aiutare a gestire eventuali episodi di incontinenza limitando il disagio della persona e di chi l'assiste.

Il controllo della defecazione è in genere conservato più a lungo di quello della minzione: un'incontinenza fecale in assenza di incontinenza urinaria deve pertanto essere sempre segnalata al curante; talvolta può trattarsi in realtà di una "falsa" incontinenza, dovuta al ristagno di feci nell'ampolla rettale, che richiede l'esecuzione di un clistere evacuativo. Per evitare il problema della stitichezza – peraltro comune a molti anziani – è importante curare l'alimentazione (aumentando in particolare l'apporto di frutta e verdura), sollecitare la persona a bere spesso durante il giorno e a mantenere una buona attività motoria e rispettare i suoi orari e le sue abitudini.

3.7 L'alimentazione

L'ora del pasto è per tutti, in particolare per le persone anziane, uno dei momenti più piacevoli e gratificanti della giornata. Un'alimentazione ben curata accresce sensibilmente la qualità della vita delle persone dementi e può evitare molti problemi.

La demenza porta infatti con sé una serie di alterazioni che possono ostacolare una adeguata alimentazione. La perdita dei denti e l'uso della dentiera, comune a tutti gli anziani, diventano più problematici quando la persona ha difficoltà a segnalare un fastidio alla bocca, a mantenere l'igiene orale, ad utilizzare correttamente la protesi. La perdita della memoria e dell'orientamento impedisce alla persona di programmare correttamente la propria nutrizione e soprattutto l'idratazione. Già abbiamo accennato ai disturbi sensoriali: calano con la malattia il senso del gusto e dell'olfatto; le turbe visive possono impedire alla persona di individuare bene il cibo sul piatto. E ancora, l'agnosia, l'aprassia e la ridotta motricità fine delle mani accrescono la difficoltà a portare il cibo alla bocca. Frequente è una tendenza all'inappetenza, fino a quadri di vera e propria anoressia. Man mano la malattia avanza, infine, aumentano i disturbi della deglutizione (la disfagia).

Non stupisce pertanto la frequenza con cui nelle persone dementi si presentano problemi nutrizionali; prevale il rischio di malnutrizione, con calo del peso corporeo, e di disidratazione: condizioni che possono aggravare la malattia, accelerandone l'evoluzione. Talvolta invece la persona perde il senso della sazietà, ricerca continuamente il cibo (iperfagia) e si può essere costretti a nascondere le provviste in luoghi non accessibili. Può avere la tendenza a portare alla bocca anche oggetti, foglie, liquidi non commestibili o pericolosi per la sua salute.

Il primo passo per affrontare questi problemi è predisporre un adeguato programma nutrizionale. Il malato di Alzheimer ha bisogno, come tutte le persone della sua età, di una alimentazione sana, sostanzialmente ispirata ai criteri della dieta mediterranea (si è visto, infatti, che una dieta ricca di grassi animali e povera di frutta e verdura aumenta il rischio, oltre che delle malattie cardio-vascolari, anche di demenza). Può essere spesso necessaria una quantità di cibo maggiore: soprattutto nelle persone che camminano continuamente o che sono molto ansiose e agitate o che dormono poco durante la notte, un'alimentazione "normale per l'età" potrebbe non essere sufficiente. È bene allora integrare i normali pasti con spuntini ricchi di proteine e di calorie (bevande, cibi omogeneizzati, yogurt, ...) somministrati a metà mattina, a metà pomeriggio, in alcune persone anche prima di coricarsi (un bicchiere di latte caldo) o appena svegli, prima di iniziare l'igiene personale; talvolta anche la difficoltà a riaddormentarsi durante la notte dopo un risveglio può essere risolta con qualcosa di caldo e nutriente. L'osservazione attenta della persona e ... la bilancia possono aiutarci a dimensionare correttamente l'apporto nutrizionale.

Quando la persona ha difficoltà a mangiare, molti accorgimenti possono aiutarla:

– innanzitutto un ambiente tranquillo, senza rumori e distrazioni (la televisione!): spesso la presenza di altre persone disturbanti (in un Centro Diurno o in una Casa di riposo) può impedire una buona alimentazione;

– la posizione a tavola, tale da non affaticare la persona (se necessario aggiungere un cuscino alla seggiola);

– stoviglie e posate adatte: piatti (ben contrastati rispetto alla tovaglia) con il bordo o sostituiti da una ciotola; tazze e bicchieri con manici facilmente afferrabili; impugnatura delle posate più grossa, di più facile presa;

– una dieta variata, possibilmente più saporita (vista la riduzione della sensibilità gustativa) e rispettosa dei gusti della persona;

– cibi facili da mangiare: pasta corta, bocconcini di carne, mousse di verdura; è utile presentare una sola portata alla volta, con una sola posata. Quando la persona ha difficoltà ad utilizzare le posate, provare con cibi che possono essere mangiati con le mani (polpette, fettine o cubetti di formaggio, pezzetti di carne senza intingoli, uova sode tagliate a metà; biscotti e dolci senza creme; gelati ...);

– una presenza discreta di controllo, di aiuto (a volte può essere sufficiente somministrare i primi bocconi e lasciare che la persona continui da sola), di incoraggiamento, di rassicurazione, sempre lasciandole tutto il tempo che le è necessario; è stato dimostrato che il contatto fisico (tenere la mano) con persone imboccate, perché incapaci di mangiare da sole, aumenta l'assunzione di cibo;

– un'accurata igiene della bocca e un controllo periodico dal dentista.

Un problema particolare è rappresentato dalla *disfagia*, la difficoltà a deglutire i cibi.

Si tratta di un disturbo frequente tra i malati colpiti da demenza. Il primo segno è la difficoltà ad ingerire i liquidi, che possono "andare di traverso", causando tosse e sintomi di soffocamento. In un secondo tempo la disfagia si estende anche ai cibi solidi. Talvolta la persona rifiuta il cibo o smette di mangiare dopo i primi bocconi, proprio per la fatica che le comporta la deglutizione.

Anche in questo caso, la scelta dei cibi più adatti può consentire alla persona di alimentarsi a lungo in maniera sufficiente.

Finché è in grado di deglutire i liquidi, ad esempio, è preferibile l'acqua gassata e fredda, meglio ancora le bevande saporite (vino, tisane, the freddo, succhi di frutta freddi, granite). Sono oggi disponibili nelle farmacie vasetti di acqua aromatizzata gelificati o addensanti artificiali che possono essere aggiunti facilmente a tutti i tipi di liquidi, freddi e caldi.

È bene che i cibi, che devono essere saporiti (evitando quelli insipidi) e graditi alla persona, rispettino alcune caratteristiche:

– *consistenza*: la consistenza ottimale può essere diversa – semi-liquida, semi-solida, solida – da persona a persona: si possono utilizzare in caso di necessità sostanze addensanti (fecola di patate, farina di cereali, addensanti artificiali) o diluenti (brodo vegetale o di carne); è molto utile il frullatore;

– *coesione*: il cibo, una volta in bocca, deve essere coeso: sono cioè da evitare cibi che tendono a scomporsi (come il riso, la carne tritata non adeguatamente trattata con salse, i crackers, i biscotti secchi);

– *omogeneità*: il cibo deve avere la stessa consistenza e dimensione; negli alimenti a doppia consistenza, che presentano liquido e solido insieme, le singole parti richiedono infatti tempi e abilità deglutitorie diversi (sono da evitare, ad esempio, la pastina in brodo, il latte con le fette biscottate non ben sciolte, i legumi, le verdure con i filamenti, la frutta con i semi, lo yogurt con i pezzi di frutta, ...; sono invece da preferire le mousse, i purée, le spume);

– *scivolosità*: perché venga ingerito più facilmente il cibo contenuto in bocca deve esercitare il minimo attrito sulle pareti del canale alimentare: se ne può favorire la deglutizione aggiungendo agli alimenti olio, burro, besciamella, panna;

– *temperatura*: deve essere evitata la temperatura corrispondente a quella corporea, sono da preferire i cibi caldi o quelli freddi.

Anche la posizione corretta aiuta la deglutizione: il paziente deve essere seduto con il tronco dritto, con il capo leggermente piegato in avanti e gli avambracci appoggiati sul tavolo o sul bracciolo della seggiola (se il capo è esteso all'indietro, aumenta il rischio di aspirazione).

Se la persona è da imboccare, deve esserle somministrata una piccola quantità di cibo per volta, lasciandole il tempo sufficiente per masticare e deglutire ed evitando di proporle altro cibo prima che abbia deglutito quello che ha in bocca. Premere leggermente col cucchiaio sulla lingua del paziente può favorire l'avvio della deglutizione.

Nonostante tutte queste attenzioni, il cibo può invadere le vie aeree, causando crisi di soffocamento o polmoniti dette appunto "da aspirazione" (*ab ingestis*). L'unico modo per assicurare l'alimentazione del paziente diventa allora il ricorso al sondino naso-gastrico o alla PEG (la gastrostomia percutanea, cioè l'applicazione di un sondino allo stomaco attraverso una piccola incisione della parete addominale). La scelta dell'alimentazione artificiale è peraltro difficile, talora drammatica: l'alternativa per i familiari è assistere impotenti alla morte "d'inedia" dei loro cari. Proprio in questo momento delicato, in questo passaggio così carico di angoscia e di dilemmi etici, la famiglia non può essere lasciata sola: il medico di famiglia, lo specialista, gli altri operatori debbono aiutarla a mettere a fuoco i diversi aspetti del problema sui quali operare una scelta serena.

È importante, in primo luogo, che la famiglia abbia un quadro chiaro dello stadio a cui si trova la malattia, delle condizioni generali del paziente, del suo stato di coscienza, delle sue capacità di relazione/interazione con l'ambiente, di quanto la sua condizione complessiva potrebbe modificarsi con il ricorso all'alimentazione artificiale. Questa scelta, tra l'altro, non è esente da limiti: molti studi hanno dimostrato come proprio nei dementi agli stadi avanzati di malattia l'alimentazione e l'idratazione artificiale non siano state in grado di ridurre le polmoniti *ab ingestis* e le complicanze della malnutrizione (le piaghe da decubito in primo luogo) e di aumentare la sopravvivenza.

È poi bene cercare di valutare la qualità della vita, più che la sua durata, possibilmente tenendo presenti gli orientamenti che la persona aveva dimostrato nel corso della sua esistenza e una volontà da lei specificamente espressa, anche solo conversando con le persone più care. Sarà molto utile, a questo proposito, che si diffonda anche nel nostro Paese l'abitudine al cosiddetto "testamento biologico", cioè ad esprimere per tempo, quando si è ancora nel pieno delle facoltà mentali, le proprie volontà in merito ai trattamenti terapeutici che si desidererebbe o meno ricevere in simili frangenti o ad affidare formalmente tali decisioni ad una persona di nostra fiducia.

3.8 L'ambiente domestico

Anche per la persona affetta da demenza, come per tutti noi, casa significa sicurezza, calore, continuità degli affetti. Nella propria abitazione, lungo percorsi ormai diventati automatici, tra ambienti ed arredi che conosce da sempre e che le evocano ricordi, emozioni, significati profondi, mantiene più a lungo la propria autonomia e la propria identità. Perfino quando la perdita della memoria e dell'orientamento temporale non consente alla persona di riconoscere la sua abitazione (chiede, magari insistentemente, di tornare alla sua casa, quella che ha abitato da giovane!), le è più facile orientarsi negli ambienti domestici piuttosto che in luoghi estranei (come l'ospedale, ad esempio, o la casa di riposo).

La demenza comporta peraltro, abbiamo visto, modificazioni neurologiche, sensoriali, motorie, che consigliano un'attenzione particolare agli ambienti di vita, così da renderli sempre più sicuri e fruibili (facili da usare) mantenendo intatto il loro calore.

È bene, innanzitutto, non introdurre in casa troppi cambiamenti: la solita disposizione dei locali, la presenza di arredi che la persona stessa aveva scelto, la poltrona preferita al solito posto, oggetti e fotografie che ricordano momenti significativi di tutta una vita; tutto questo trasmette sicurezza, senso di appartenenza, continuità.

Alcuni interventi però, in rapporto allo stadio della malattia ed ai diversi problemi che il malato presenta, possono favorire l'orientamento e il mantenimento dell'autonomia, evitare confusione, prevenire cadute ed incidenti domestici.

A titolo esemplificativo:

– mantenere un'illuminazione adeguata: le persone anziane, e in particolare i dementi, hanno bisogno di un'illuminazione più forte; devono però essere evitate sia le fonti di luce abbaglianti, sia gli eccessivi contrasti di luminosità tra un ambiente e l'altro (un corridoio scuro, ad esempio, che separa stanze ben illuminate);

– identificare bene alcuni ambienti: ne abbiamo parlato a proposito del bagno, che è bene sia facilmente individuabile (perché la porta ha un colore diverso o perché la sua funzione è ben indicata da una scritta o da un disegno sulla porta);

– evidenziare le maniglie delle porte e delle finestre con un colore differente può aiutare la persona a muoversi con maggiore autonomia; allo stesso modo, se è in grado di alzarsi dal letto durante la notte deve poter individuare facilmente gli interruttori per accendere la luce o trovare accesa la luce in bagno;

– rimuovere tappeti e scendiletto, soprattutto se sfrangiati (oppure fissarli bene al pavimento, con nastro biadesivo), perché la persona non inciampi o non scivoli nell'alzarsi dal letto;

– evitare un eccessivo ingombro di mobili e suppellettili;

– utilizzare seggiole e poltrone con braccioli che aiutino il paziente ad alzarsi e sedersi in sicurezza;

– adattare anche l'altezza del letto alla persona (l'altezza ideale deve consentire alla persona seduta in fianco al letto di poggiare i piedi a terra);

un'asse sotto il materasso può evitare la buca centrale (che assicura il mal di schiena e complica i movimenti nel letto) o laterale (con il rischio di caduta);

– collocare vicino al letto un cassettone robusto o un sostegno a parete, cui la persona può aggrapparsi quando si alza dal letto;

– se sono presenti gradini, è bene evidenziarli differenziando con diversi colori l'alzata dalla pedata o segnalando il margine di ogni gradino; un corrimano o dei sostegni a parete possono favorire la sicurezza evitando cadute;

– anche in bagno è utile sistemare dei sostegni in prossimità del water (la cui altezza può essere facilmente adattata con appositi alza-sedili), del bidet e soprattutto della vasca o della doccia;

– mettere un tappetino antiscivolo ed un sostegno a parete, tanto nella vasca quanto nella doccia, per evitare una caduta (man mano la persona riduce la propria autonomia motoria, è più facile lavarla sotto la doccia, utilizzando eventualmente un sedile);

– gli specchi, abbiamo visto, possono rimandare ad alcuni ammalati l'immagine di una persona che non riconoscono più; negli altri casi possono, al contrario, aiutarli non solo nella cura di sé ma anche nel mantenimento della propria identità;

– quando la persona, totalmente disorientata, tenta di uscire di casa (magari perché vuole ... andare a casa), può essere necessario chiudere a chiave la porta o il cancello del giardino, assicurandosi che abbia sempre con sé un documento di riconoscimento con l'indirizzo e il numero di telefono nel caso riuscisse comunque ad allontanarsi; mascherare le maniglie o l'intera porta d'ingresso (con un grande poster, ad esempio) può impedire alla persona di riconoscerla e di tentare continuamente la fuga;

– porre infine particolare attenzione a tutti i rischi ambientali: impianti elettrici non protetti, fornelli a gas (possono essere dotati di valvola di sicurezza o meglio ancora sostituiti da piastre ad induzione, che evitano anche il pericolo di scottature), coltelli e forbici, oggetti di vetro, detersivi e farmaci facilmente raggiungibili; talvolta può essere necessario anche nascondere gli alcolici o chiudere a chiave la dispensa e il frigorifero.

3.9 I disturbi comportamentali

La notte mio padre recuperava miracolosamente le forze che di giorno gli mancavano e cominciava a fare su e giù per il corridoio, fino all'alba. Soffriva di allucinazioni. Vedeva persone in casa e urlava loro di andarsene. Vedeva oggetti inesistenti che si chinava a raccogliere negli angoli... Litigava con il grande specchio dell'ingresso. Ci vedeva non la sua persona, ma qualcun altro... Si era fissato che quella non fosse casa sua. Accusava mia madre di non lasciarlo andare, di rubargli i soldi della pensione. "Voglio la mamma" diceva sempre, giorno e notte. Ma forse per mamma intendeva la stessa Maria, che lui non riconosceva più e prendeva per una usurpatrice. Nel giro di un mese mia madre perse dieci chili. Era diventata pallida e vecchia ([5]).

Questo brano, tratto dal bel libro di "un uomo che vede suo padre, ammalato d'Alzheimer, trasformarsi in uno sconosciuto", esemplifica bene i problemi, talvolta drammatici, che chi vive con una persona colpita dalla demenza può essere chiamato ad affrontare. Certo, è faticoso sostituirsi al malato nelle incombenze cui prima provvedeva brillantemente, sostenerlo di fronte al declino dell'autonomia personale, accudirlo "come un bambino" quando ha ormai perso la capacità di provvedere anche alle più semplici attività quotidiane: ma ciò che sconvolge i suoi familiari, ciò che rischia di minare seriamente la loro salute psichica e fisica è il cambiamento della personalità del demente, è quel complesso di sintomi cui nel primo capitolo del volume abbiamo dato il nome di disturbi comportamentali.

Si tratta, ne abbiamo già accennato, di un complesso di problemi molto diversi:

– *i disturbi psichiatrici*: l'ansia, che impedisce al malato di trovare pace; la depressione accompagnata, soprattutto nelle prime fasi, da sensazioni di inadeguatezza, di inutilità, di disperazione; al contrario un'eccessiva euforia; e ancora, più impegnativi per i conviventi, i deliri di persecuzione, di latrocinio (dimentica dove ha riposto un oggetto, e accusa gli altri di averlo derubato), di tradimento, di abbandono; le allucinazioni (la persona vede, o sente, persone che non ci sono);

([5]) GARDINI N., *Lo sconosciuto*, Milano, Sironi Editore, 2007, pp. 101-102.

– *i disturbi della personalità*: l'apatia (la persona si chiude in se stessa, non partecipa a nulla, non risponde neppure se sollecitata: un comportamento spesso molto difficile da accettare da chi vive con lei e non riceve più alcun riscontro del suo impegno di cura), l'irritabilità, il rifiuto di tutto quanto le si propone; l'aggressività verbale e fisica (proprio lui che "è sempre stato così buono ... che non ha mai detto una brutta parola..."), la disinibizione, che può causare comportamenti socialmente inopportuni, mettendo in imbarazzo i familiari;

– *l'agitazione e l'attività motoria "aberrante"*: la persona cammina avanti e indietro senza sosta, tenta di uscire di casa, continua a spostare oggetti, a rovistare nei cassetti, a stropicciare le lenzuola o gli abiti che indossa; ripete ossessivamente la stessa frase, la stessa richiesta di aiuto ("mamma!"), lo stesso lamento;

– e ancora *i disturbi neurovegetativi*: la sindrome del sole calante, l'insonnia (ne parleremo nel paragrafo successivo), le turbe dell'alimentazione.

Prima di soffermarci su alcuni suggerimenti che possono aiutare i familiari e gli operatori impegnati nell'assistenza ad affrontare al meglio questi complessi problemi, è opportuno ricordare, ancora una volta, che l'origine dei disturbi comportamentali è molto complessa.

Senza dubbio le alterazioni causate dalla demenza sulle complesse funzioni cerebrali sono la causa prima di questi disturbi: la frequenza dei diversi sintomi varia, infatti, anche in rapporto alle diverse aree cerebrali interessate dalle lesioni degenerative. Ma prima di accettarli come inevitabili, e di ricorrere alla terapia farmacologica, dobbiamo considerare altri fattori.

Innanzitutto problemi di natura somatica: la persona demente può non essere in grado di segnalarci un malessere fisico, un dolore, un bisogno fisiologico (la sete, la fame, il desiderio di o la difficoltà ad urinare o a scaricarsi); l'inquietudine, l'irritabilità, l'ansia, lamenti inspiegabili o uno stato di agitazione possono essere le modalità con le quali tenta di comunicarci la sua sofferenza.

In secondo luogo, la comparsa di disturbi comportamentali è spesso determinata, o aggravata, dall'ambiente nel quale la persona si trova: un ambiente rumoroso, caotico, disturbante; un ambiente sconosciuto; un ambiente non adatto alle sue esigenze, che trasforma in problema un comportamento del tutto accettabile altrove (girovagare tutto il giorno può essere "normale" se la persona vive in un'abitazione ampia e sicura, magari dotata di un giardino; diventa un "disturbo" se la stessa persona viene ricoverata in ospedale; al contrario, alcune persone che in una casa piccola sono irritabili ed aggressive diventano subito più tranquille quando vengono accolte in una struttura residenziale che consente loro di muoversi senza ostacoli).

Ancora, la persona demente può reagire negativamente quando le viene chiesto di fare qualcosa che non capisce o che non è in grado di fare o quando la richiesta le viene da una persona sconosciuta: il disorientamento, la confusione, la percezione della propria inadeguatezza, la paura possono allora scatenare in lei rabbia, disperazione, aggressività.

Non dimentichiamo infine – credo sia giusto ribadirlo – che se fa sempre più fatica a capire le parole che gli diciamo e magari anche la situazione in cui si trova, il demente conserva molto più a lungo la capacità di "sentire" i nostri sentimenti ed il nostro stato emotivo: capisce quando siamo nervosi, insofferenti, magari anche solo troppo stanchi e può reagire male e ribellarsi di fronte ad un nostro atteggiamento aggressivo ed autoritario.

Nelle pagine precedenti abbiamo già suggerito alcune indicazioni per affrontare le difficoltà della convivenza con la persona demente; una buona conoscenza della malattia, delle modalità relazionali e delle pratiche assistenziali può in molti casi prevenire l'insorgenza dei disturbi comportamentali o aiutarci ad affrontarli con maggiore sicurezza.

Vogliamo qui aggiungere alcuni ulteriori suggerimenti.

I comportamenti ripetitivi: la persona affetta da demenza può non ricordare ciò che ha detto o fatto un momento prima e continuare a ripeterlo, fino all'esasperazione. Può allora essere utile cercare di distrarla, cambiando argomento o impegnarla in qualche diversa attività o rassicurarla sulla nostra disponibilità, sul nostro affetto nei suoi confronti.

Perdita di oggetti e accuse di furto: spesso il demente dimentica dove ha riposto un oggetto – le chiavi, la borsetta, gli occhiali – e accusa gli altri di avergliela sottratto. È sempre opportuno, in questi casi, cercare di sdrammatizzare, convincendolo gentilmente che l'oggetto in questione non si è perduto ed aiutandolo a ritrovarlo, senza controbattere alle accuse di furto. Talvolta scopriremo che la persona ha un luogo dove tende a nascondere le cose. Altre volte dovremo accertarci che non l'abbia buttato nella spazzatura. Sarà anche opportuno tenere un duplicato degli oggetti importanti (le chiavi, gli occhiali, ...).

Comportamenti imbarazzanti: quando la malattia coinvolge quella parte del cervello deputata a controllare il comportamento sociale, la persona demente può assumere atteggiamenti imbarazzanti o sconvenienti, usare frasi o parole offensive, tenere in pubblico comportamenti inappropriati anche sul piano sessuale (spogliarsi, tentare approcci, toccarsi). È importante innanzitutto ricordare, e far presente a chi non conosce la malattia, che tali comportamenti sono dovuti al mancato funzionamento di meccanismi inibitori cerebrali e che per il malato sono del tutto normali. Spesso opporsi in modo deciso non serve o rischia di evocare delle reazioni aggressive. Più utile è sforzarsi di capire, e di evitare, le situazioni che determinano i comportamenti incongrui, mantenendo la calma e cercando di spostare l'attenzione del malato su qualcosa di più accettabile.

Agitazione ed aggressività: abbiamo visto come un atteggiamento aggressivo o un'importante agitazione rappresentino una modalità con la quale il malato si difende da un ambiente che sente estraneo, pericoloso e come un'accurata osservazione del suoi comportamenti ci consenta spesso di individuarne la causa. È importante allora cercare di prevenire simili comportamenti, individuando le situazioni che disturbano il malato, le modalità per metterci meglio in comunicazione con lui, le strategie che riescono a trasmettergli maggior sicurezza. Dobbiamo comunque restare calmi, evitare di discutere, non dimostrare paura. Può essere opportuno sospendere quello che stiamo facendo, rimandandolo ad un momento più tranquillo, e cercare di spostare l'attenzione del malato su qualche altra attività. Nei casi più difficili, non esitiamo comunque ad interpellare un operatore o un medico esperto.

Allucinazioni: la persona demente può sentire o, più facilmente, vedere oggetti o persone che non sono presenti nell'ambiente. È un fenomeno legato alla compromissione delle aree sensoriali del cervello, che può essere accentuato da disturbi della vista e dell'udito che il paziente non sa riferire, e che vale la pena di curare per tempo. Può essere utile anche rimuovere dall'ambiente le possibili fonti di allucinazione, quali gli specchi o i quadri, che possono evocare nel malato l'impressione di presenze estranee.

Deliri: spesso la persona demente è convinta che chi le sta intorno la derubi o le voglia fare del male, si sente in pericolo, tende a rifiutare le cure, talvolta anche il cibo. In questi casi è poco produttivo discutere con lei, cercando di convincerla che è in torto. È meglio piuttosto cercare di rassicurarla, mostrandole comprensione, trasmettendole – con il tono della voce, con un contatto fisico – la nostra volontà di aiutarla. E cercare di distrarla dalle sue fantasie, richiamando la sua attenzione su qualcosa di reale, su un oggetto o una situazione familiare e piacevole.

Anche se molti familiari e molti operatori impegnati nell'assistenza ai pazienti dementi imparano "sul campo", spesso sulla propria pelle, ad affrontare con tenacia, con pazienza e con creatività i mille problemi che si presentano in una "giornata di 36 ore", la "sfida" dei disturbi comportamentali non può essere affrontata da soli. È importante coinvolgere il medico di famiglia o uno specialista, che possono mettere in campo una valutazione più approfondita ed alcuni farmaci in grado, se ben utilizzati, di aiutare il nostro ammalato e noi stessi a vivere più serenamente.

Può essere molto utile anche confrontarci con altri familiari, ascoltare le loro esperienze, condividere con loro il peso di un impegno gravoso.

Il disturbo comportamentale svela tutta l'insicurezza, la paura, l'incapacità del malato a comprendere che cosa gli sta succedendo: la "cura" migliore è la nostra capacità di rassicurare, di far sentire la nostra presenza, la nostra comprensione, il nostro affetto. Non sempre ci è facile, qualche volta prevalgono la stanchezza, la rabbia, la delusione. Comunque "perdere la pazienza di tanto in tanto non è una calamità; fate un respiro profondo e cercate di affrontare il problema in modo calmo. L'interessato probabilmente dimenticherà la vostra rabbia più velocemente di quanto riuscirete a fare voi" ([6]).

3.10 I disturbi del sonno

Molte persone anziane lamentano di dormire male, con un sonno intervallato da frequenti risvegli, difficoltà ad addormentarsi e risvegli precoci; molte di loro sentono poi il bisogno di "schiacciare un pisolino" durante il giorno o di coricarsi molto presto (anche se poi, così facendo, rischiano di svegliarsi nel pieno della notte ...).

Questi disturbi del sonno si presentano accentuati nei pazienti affetti da demenza, che difficilmente riescono ad osservare la rigida separazione tra le ore del giorno dedicate alla veglia e quelle notturne destinate al sonno. In molti di loro compare – a metà pomeriggio o verso sera – una condizione di inquietudine, di ansia, di aumentata confusione, di irritabilità: è la cosiddetta *sindrome del tramonto*, favorita probabilmente dalla stanchezza e dalla comparsa, con la diminuzione della luce, di disturbi della percezione visiva (allucinazioni).

Frequenti sono anche i risvegli notturni, in occasione dei quali la persona demente, incapace di rendersi conto dell'ora, può alzarsi, aggirandosi per la casa, magari cercando di vestirsi o di mangiare. Senza dubbio drammatica per chi assiste è l'*inversione del ritmo sonno-veglia*, che vede il malato trascorre-

---

([6]) N.L. Mace, P.V. Rabins, *op. cit.*, pp. 192-193.

re completamente sveglio la maggior parte della notte, salvo dormire (lui solo, però!) durante il giorno.

Si tratta di problemi di non facile soluzione, per i quali può essere necessario ricorrere all'intervento del medico. Tra l'altro, i disturbi del sonno e del ritmo sonno-veglia possono essere favoriti anche da alcuni farmaci: gli stessi sedativi possono essere responsabili di un'eccessiva sonnolenza diurna causando, paradossalmente, proprio l'insonnia che dovrebbero combattere.

È comunque possibile mettere in atto alcuni accorgimenti per migliorare la qualità del sonno:

– mantenere un ritmo sonno-veglia costante, facendo alzare e coricare il malato ad orari abbastanza fissi;

– evitare che il sonnellino pomeridiano si prolunghi eccessivamente;

– durante il giorno aumentare l'attività fisica e coinvolgere la persona in attività significative così da "stancarla" fisicamente e psicologicamente;

– verso sera evitare al contrario di proporre attività stressanti o situazioni che possano indurre confusione (anche un programma televisivo); al contrario, può essere utile un bagno caldo o un massaggio rilassante o una musica piacevole;

– è bene che il pasto serale sia leggero, facilmente digeribile; per molte persone dementi, tuttavia, potrà essere utile uno spuntino (anche solo una tazza di latte caldo, con due biscotti) prima di coricarsi, soprattutto se sono già trascorse alcune ore dal momento della cena;

– sono da evitare, la sera, bevande eccitanti (caffé, the, cioccolata, Coca cola) e in genere un eccesso di liquidi (che possono indurre durante la notte il bisogno di urinare);

– anche un'adeguata temperatura della camera da letto, una luce soffusa, un letto comodo possono aiutare la persona a riposare meglio.

Se, nonostante tutte le nostre attenzioni, la persona si sveglia ripetutamente di notte, può essere importante cercare di individuarne una causa correggibile: la paura? (possiamo provare a contrastarla con una luce soffusa o lasciandole a portata di mano un oggetto familiare – un cuscino, una "copertina", un peluche ...); il bisogno di urinare? (accertiamoci che sia in grado di raggiungere il bagno o di utilizzare la comoda vicino al letto); la fame? (spesso uno spuntino durante la notte aiuta la persona a riprendere sonno). Se poi comincia a girovagare per la casa, dovremo preoccuparci della sua sicurezza togliendo le chiavi dalla serratura, ad esempio, o chiudendo la porta della cucina, o lasciando una luce accesa anche in corridoio e in soggiorno, e magari lasciandole a disposizione una poltrona comoda, con una coperta, nel caso decidesse ... di cambiare letto. Il nostro medico potrà infine aiutarci escludendo qualche causa di natura organica (un iniziale scompenso cardiaco, ad esempio) o consigliandoci una terapia adeguata.

4. La famiglia

4.1 La demenza, malattia della famiglia

La demenza non colpisce soltanto la persona ammalata, ma tutto il suo nucleo familiare: il maggior carico pesa infatti su chi assiste ([1]). La lunga durata della malattia, il progressivo venir meno nel paziente delle capacità di mantenere il proprio ruolo familiare e sociale, di organizzare la propria esistenza quotidiana, di provvedere alle necessità più basilari della vita; e ancora la perdita della memoria, che sostituisce alla continuità dell'esperienza individuale un incerto e frammentario presente, lo spegnersi della funzione comunicativa della parola, la difficoltà a riconoscere luoghi e gesti e volti consueti, la labilità delle emozioni, l'irruzione del delirio, l'esplodere irrazionale dell'agitazione e dell'aggressività: tutto questo comporta per la famiglia un coinvolgimento totale, un impegno incessante, un enorme carico assistenziale, emotivo, economico.

Ad aggravare le difficoltà per la famiglia è la carenza dei servizi sanitari e socio-assistenziali di supporto: oggi la famiglia è per lo più sola in questo suo impegno; anche la scelta di assistere a domicilio un congiunto affetto da demenza (nel nostro Paese l'80% dei malati di Alzheimer vive a casa) è spesso imposta dalla carenza di soluzioni alternative. Emerge, come riporta un'indagine del CENSIS, "una delega praticamente totale alla famiglia nel trattamento dei malati. L'insufficienza delle risposte istituzionali accentua il peso delle richieste esercitate dalla malattia sul nucleo familiare e acuisce il processo di isolamento di una famiglia abbandonata a se stessa e, in qualche caso, ne determina un destino complessivo di impoverimento e marginalizzazione" ([2]).

([1]) Organizzazione Mondiale della Sanità. Alzheimer's Disease International, *Vivere con un malato di Alzheimer*, editoriale Fernando Follini, 1995 (disponibile presso la Federazione Alzheimer Italia).

([2]) Censis, *La mente rubata. Bisogni e costi sociali della malattia di Alzheimer*, Milano, Franco Angeli, 1999.

4.2 I costi dell'assistenza

Le indagini condotte nel 1999 e nel 2006 ([3]) dal Censis in collaborazione con l'Associazione Italiana Malattia di Alzheimer (AIMA) confermano la posizione centrale della famiglia, e in particolare delle donne, nell'assistenza alle persone affette da demenza. In un terzo dei casi il "caregiver" principale (colui, cioè, che si prende cura del malato) è il coniuge, in genere la moglie; nella metà dei casi si tratta di una figlia, per lo più sposata e con figli, che soprattutto nelle situazioni più gravi di malattia accoglie in casa il paziente. Anche se le osservazioni più recenti segnalano un aumento del coinvolgimento dei maschi (soprattutto i coniugi) nell'assistenza a persone dementi, il 76% dei *caregiver* è di sesso femminile, e questa percentuale cresce con l'aggravarsi della malattia (oltre l'80% degli ammalati gravi è assistito da donne).

La dimensione dell'impegno richiesto ai familiari risulta evidente dal tempo dedicato all'assistenza diretta al malato: 6 ore al giorno in media, con un andamento crescente in rapporto all'aggravarsi della malattia. La sorveglianza poi – il tempo in cui il familiare vive col malato, pur dedicandosi ad altre attività – è pressoché continuativa, assorbendo in media altre 7 ore al giorno.

Alla luce di questo impegno ben poco è il tempo che chi assiste può dedicare a se stesso: 17 ore alla settimana, poco più di 2 ore al giorno (ancor di meno in chi segue un malato grave) per lo più "strappate" al proprio dovere quotidiano ricorrendo all'aiuto di qualche altro familiare o di personale a pagamento ([4]). È difficile, in queste condizioni, salvaguardare le amicizie, coltivare gli interessi, mantenere una vita sociale.

Significative, secondo l'indagine del Censis, sono le conseguenze dell'assistenza ad un congiunto ammalato sulla vita lavorativa del *caregiver*. Quasi la metà di chi lavorava quando ha iniziato la sua esperienza di curante ha dovuto lasciare il lavoro o chiedere il part time; la maggior parte di chi ancora lavora segnala una maggior difficoltà a svolgere i compiti usuali, un rendimento inferiore a quello desiderato, la rinuncia alla carriera, la necessità di assentarsi spesso dal lavoro.

Al mancato reddito da lavoro si aggiungono i costi economici sostenuti per il personale (colf e badanti) incaricato degli interventi domestici, dell'as-

---

([3]) AIMA – Censis, *op. cit.*

([4]) AIMA – Censis, *op. cit.*, pp. 92-95.

sistenza diretta, della sorveglianza; per la sistemazione dell'abitazione; per le cure mediche (farmaci, parafarmaci, ausili, procedure diagnostiche, visite specialistiche, interventi domiciliari professionali); per gli interventi di "sollievo" residenziali e semi-residenziali (Centri Diurni).

Ancor più pesanti, anche se più difficili da quantificare, sono le conseguenze dell'impegno di cura sulle relazioni familiari: possono insorgere difficoltà con il partner e con i figli, che si sentono "trascurati"; c'è minore accordo con gli altri membri della famiglia, che non collaborano come si vorrebbe, che sembrano sottovalutare la stanchezza di chi regge l'impegno quotidiano.

La fatica anche fisica di un'assistenza continuativa, la difficoltà a recuperare durante la notte (perché si deve sempre rimanere all'erta), lo stress psicologico, la sensazione di inadeguatezza, la difficoltà ad accettare la malattia (ne parleremo tra poco), la necessità di conciliare questo nuovo "lavoro" con tutti gli altri impegni familiari ed occupazionali non possono restare senza conseguenze sulla salute di chi assiste. Molti studi in tutto il mondo hanno evidenziato nei familiari di malati di Alzheimer elevati livelli di stress, di ansia e di depressione, così come un aumentato ricorso agli psicofarmaci. Frequenti sono anche i disturbi del sonno, la sensazione di stanchezza, la riduzione dell'attività fisica, una scarsa attenzione alla propria salute. Lo confermano anche i dati del Censis: più della metà dei *caregiver* italiani intervistati lamenta stanchezza, insufficiente riposo notturno, effetti negativi sulla propria salute; uno su cinque ha iniziato ad assumere farmaci da quando si prende cura del malato (fig. 4.1).

Figura 4.1 - L'impatto dell'assistenza sulla salute dei familiari dei dementi (Censis, 1999)

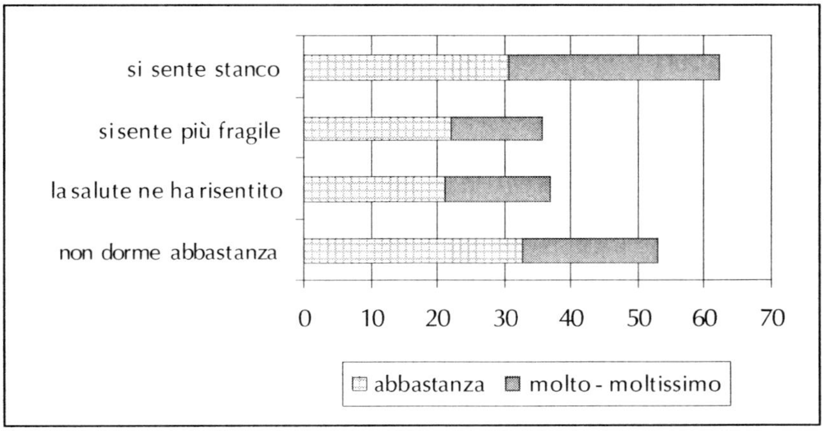

4.3 Diventar "madre della propria madre"

Al di là dei problemi pratici, organizzativi ed economici, alla radice del disagio, della sofferenza, della crisi dei familiari ritroviamo proprio il radicale cambiamento del rapporto con il proprio congiunto. Certo, il fattore principale che mina la capacità della famiglia di continuare ad assistere il malato a domicilio e la induce a chiederne il ricovero è la gravità dei disturbi comportamentali: i deliri, l'agitazione, l'aggressività, i vocalizzi ... Ma nel *caregiver* la depressione, la sofferenza morale, la sensazione di solitudine compaiono ben prima, quando la moglie si accorge che il marito non la riconosce più, quando non riesce a comunicare con lui, quando la sua progressiva dipendenza altera irreversibilmente la reciprocità del rapporto. Così come è difficile per la figlia accettare l'inversione dei ruoli familiari, interpretare un nuovo ruolo genitoriale, diventare madre della propria madre!

"Non sono tanto i disturbi cognitivi ed il carico della malattia a creare depressione – scrive Vittorio Cigoli – quanto piuttosto quei disturbi della personalità del malato che fanno vacillare ed attaccano il sentimento di riconoscimento reciproco: il malato non riconosce, in vari modi, i propri familiari ed il proprio ambiente di vita e questi ultimi non lo riconoscono più. È come se incontrassero l'estraneo, il pericoloso, il diverso" ([5]).

Questa difficoltà a riconoscere nel malato il proprio congiunto, a ritrovare la propria madre, il proprio padre, il proprio marito nelle nebbie della memoria, nella precarietà delle emozioni, nella regressione dei comportamenti, è particolarmente angosciante nella prime fasi della demenza, quando è ancora insufficiente la conoscenza della malattia, quando non è ancora stato compiuto quel processo di adattamento che porta all'accettazione, non solo razionale ma anche emotiva, della malattia. Di fronte ad una condizione che priva i familiari dell'immagine autentica del loro caro è necessario infatti un processo di adattamento, una sorta di elaborazione del lutto, come si verifica per chi riceve la diagnosi di un male incurabile.

Anche in questo caso la prima reazione è di *negazione*: si tende a negare anche ciò che è evidente, ad attribuire i deficit della memoria o i cambiamenti del carattere all'età, alla stanchezza, ad un malessere passeggero. Proprio

---

([5]) In: TAMANZA G., *La malattia del riconoscimento. L'Alzheimer, le relazioni familiari, il processo di cura*, Milano, Edizioni Unicopli, 1998, pp. 19-20.

questo meccanismo inconscio di rifiuto è alla radice del frequente ritardo nella diagnosi.

Man mano che la consapevolezza della malattia si fa strada, e viene confermata dal medico, subentra la fase del *coinvolgimento eccessivo*, caratterizzata da atteggiamenti di protezione, dall'impegno dei familiari nel compensare le *defaillance* del proprio congiunto; spesso con la conseguenza, paradossale, di anticipare la dipendenza del malato, a prezzo di un precoce e non necessario aggravio per i *caregiver*.

Compaiono poi, con il progredire della malattia e con la consapevolezza della sua irreversibilità, reazioni negative, di *collera* e di rabbia verso se stessi, verso il malato, verso il sistema dei servizi che non garantisce tutte le risposte che si vorrebbero, verso un compito assistenziale sempre più impegnativo e frustrante. Frequenti sono i *sensi di colpa*: perché ci si sente inadeguati e si ha paura di non fare abbastanza, perché capita di perdere la pazienza, perché si avvertono una crescente stanchezza e una sorta di rifiuto per la situazione, perché si deve ricorrere all'aiuto di qualcun altro, perché per assistere l'ammalato si trascurano i figli, il coniuge, i propri doveri familiari; perché si comincia a pensare al ricovero ...

Solo lentamente subentra l'*accettazione* della situazione, accompagnata per lo più da sentimenti di tristezza e di depressione per la perdita anzitempo della persona cara, ma anche dal recupero della comunicazione empatica e della relazione affettiva con lei.

Si tratta, evidentemente, di una descrizione schematica del percorso emotivo dei familiari che assistono un malato di demenza. Un percorso non lineare, che non sempre si compie fino all'accettazione, nel quale le diverse fasi possono convivere o alternarsi. Succede, tra l'altro, che all'accettazione razionale della malattia non corrisponda un'accettazione emotiva del comportamento del malato e dei cambiamenti della sua personalità: molti familiari dimostrano una buona conoscenza della malattia e dei suoi sintomi, ma reagiscono negativamente ("non vuole mai ascoltarmi ... è dispettoso ... fa di tutto per farmi arrabbiare ...") di fronte ai fallimenti che ne derivano.

Il livello di stress che i familiari dei pazienti dementi presentano è peraltro influenzato da molti fattori. Fondamentale è innanzitutto la gravità della malattia e delle sue manifestazioni: al di là dei disturbi cognitivi, la progressiva perdita dell'autonomia nelle attività quotidiane sembra essere la causa principale della fatica fisica richiesta a chi assiste e dei conseguenti livelli di stress, mentre la presenza di disturbi comportamentali favorisce l'insorgere di una sintomatologia depressiva.

Per quanto riguarda l'età del *caregiver*, sembrano più esposti al rischio di stress e di depressione i familiari in età avanzata, soprattutto se vivono da soli con il malato.

Fondamentale è l'influenza della qualità del rapporto precedente tra il *caregiver* ed il malato e delle relazioni familiari complessive. Un rapporto affettivo solido tra il malato e chi lo assiste rende più facile la comprensione dei comportamenti impropri, agevola la comunicazione ed aiuta a contenere le conseguenze dello stress; al contrario compaiono più spesso sentimenti di collera o sensi di colpa in chi è chiamato ad assistere un familiare dal quale si è sentito affettivamente trascurato. Il cambiamento del ruolo reciproco può a sua volta dare luogo a reazioni ambivalenti: doversi assumere compiti decisionali prima svolti gelosamente dal marito può essere, per la moglie, un'ulteriore fonte di stress o, al contrario, l'occasione per una sorta di rivalsa nei confronti di chi tendeva ad escluderla dalle scelte importanti.

Anche il più complessivo contesto familiare gioca un ruolo significativo: una famiglia allargata, e comunque coesa, collaborante, consapevole dell'impatto della malattia sul malato e sul *caregiver* principale può aiutare quest'ultimo a reggere meglio l'impegno assistenziale; al contrario la malattia – e non solo quella mentale! – spesso mette a nudo la fragilità dei rapporti familiari, tensioni latenti, conflitti non risolti. "La malattia di Alzheimer – scrive Tamanza – ha un impatto assai consistente sul funzionamento familiare, sia perché sollecita un notevole incremento del lavoro di cura, sia perché provoca un cambiamento nelle relazioni familiari. Cambiamento che può comportare aspetti critici, cioè legati a conflitti e difficoltà connesse al passato della vita familiare, ma anche aspetti arricchenti, come l'emergere di solidarietà e cooperazione tra i diversi membri della famiglia" ([6]).

Le aspettative che il *caregiver* principale ha nei confronti degli altri membri non conviventi della famiglia sono anch'esse non di rado ambivalenti: mentre sollecita un aiuto, lamentando di essere da solo ad affrontare un impegno assistenziale sempre più gravoso, ha al tempo stesso grosse difficoltà a farsi sostituire, anche solo per poche ore ("è abituato alla mia presenza ... se non mi vede si agita di più ... bisogna saperlo prendere nel modo giusto ..."); quasi che dai familiari si aspettasse non un intervento concreto (ancora di meno se erogato da personale a pagamento) ma un riconoscimento del suo ruolo essenziale ed un puro sostegno psicologico.

([6]) TAMANZA G., *op. cit.*, p. 45.

Molte ricerche, infine, hanno dimostrato l'importanza, nel contenere le conseguenze negative dell'impegno assistenziale, tanto degli interventi di educazione, di formazione e di sostegno psicologico quanto della disponibilità di una rete di servizi in grado di aiutare concretamente chi assiste fornendogli i necessari momenti di sollievo.

Torneremo nel prossimo capitolo sul discorso – importante, e ahimé dolente – della rete dei servizi socio-assistenziali e sanitari. Qui mi preme solo sottolineare come molte ricerche abbiano dimostrato che la presenza di una figura professionale di riferimento – anche solo per un'ora alla settimana, anche solo su chiamata – contribuisce sensibilmente a ridurre lo stress dei familiari; in loro infatti sono forti la preoccupazione di trovarsi da soli ad affrontare situazioni di emergenza e la necessità di avere qualcuno cui appoggiarsi in queste occasioni; così come avvertono profondamente l'esigenza di essere rassicurati sul loro operato e di veder riconosciuta l'utilità e l'importanza del loro quotidiano impegno assistenziale.

4.4 "Mia nonna è diversa dalle altre"

È il titolo di un bel libretto pubblicato dall'AIMA (l'Associazione Italiana Malattia di Alzheimer) che illustra ai bambini la malattia ed i cambiamenti che essa induce nelle persone che ne vengono colpite (fig. 4.2). Quando la nonna, paziente compagna di gioco con cui si sono condivisi segreti e complicità, comincia a cambiare, fa cose strane, "non è più lei", anche per i nipo-

Figura 4.2 - Da: MERCÈ ARÀNEGA, *Mia nonna è diversa dalle altre*, Milano, Edizioni AIMA

ti può essere difficile capire ed accettare cosa sta succedendo. Se sono piccoli sarà per loro più naturale continuare a comunicare con lei ad un livello affettivo, più immediato anche per la malata, accettare il "non senso" del suo comportamento, inglobandolo nel proprio mondo fantastico, sviluppare addirittura, come in un gioco, un atteggiamento protettivo nei suoi confronti. La situazione si complica quando il nipote comincia a capire la situazione, non sa come reagire di fronte alle domande ripetitive, agli atteggiamenti incongrui, ai comportamenti aggressivi; può sentirsi turbato da cambiamenti inspiegabili, avvertire sensi di colpa perché sente affievolirsi il rapporto affettivo del nonno verso di lui ("avrò fatto qualcosa di sbagliato?") o perché, al contrario, sente affiorare in sé un sentimento di rifiuto; può vergognarsi della situazione di fronte agli amici; può sviluppare sentimenti di gelosia o di rabbia per il tempo che la mamma dedica al malato, anziché a lui.

È essenziale in queste situazioni parlare con il bambino, o col ragazzo, di quello che sta succedendo al nonno; spiegargli che i cambiamenti sono dovuti ad una malattia che altera il suo normale funzionamento cerebrale, contro la quale non abbiamo al momento possibilità di cure; rassicurarlo sul fatto che la malattia, non il nonno, è responsabile dei comportamenti "strani", aiutarlo ad accettare la situazione, a mantenere comunque viva con lui la comunicazione affettiva.

La presenza in casa dei nipoti può essere molto utile nella gestione dei problemi della giornata, perché può consentire a chi assiste di prendersi una pausa ("esco un attimo mentre siete a casa voi"), perché il nonno può essere più remissivo ed accomodante con i nipoti piuttosto che con una figlia che ha ormai scambiato per la mamma. Ma è necessario, anche se difficile, che chi regge l'impegno dell'assistenza ad un demente riesca a trovare un equilibrio tra le esigenze del malato e quelle degli altri membri della famiglia, in particolare dei figli: farsi sostituire, per qualche ora, per una giornata, anche rivolgendosi a "persone estranee", anche utilizzando un Centro Diurno, può consentire alla figlia che assiste di non rimanere schiacciata da un impegno troppo gravoso, di riprendere il filo del colloquio con i figli e col marito, di ricominciare con più forza, e più serenità, la sua giornata di 36 ore.

4.5 Conoscere, conoscersi

La complessità dei bisogni sanitari ed assistenziali delle persone affette da demenza, complessità che abbiamo cercato di illustrare nei primi capitoli di questo libro, richiede senza dubbio una buona conoscenza della malattia, dei suoi sintomi, della sua evoluzione, delle strategie per comunicare con il paziente demente, per affrontarne le esigenze nella vita quotidiana, per prevenire e gestire i disturbi comportamentali. Richiede, ancora, un'adeguata informazione sugli interventi che si possono ottenere dal sistema sanitario e dai servizi sociali. È stato dimostrato che specifici interventi di educazione e di formazione consentono ai familiari di affrontare il loro impegno in maniera più realistica, superando paure e pregiudizi e riducendo il livello di stress.

Purtroppo nel nostro Paese la realtà è ancora sconfortante. La già citata ricerca del Censis del 2006 – che pure è stata svolta su un campione di familiari in qualche modo più sensibili al problema, perché già in contatto con un'associazione di familiari (l'AIMA, Associazione Italiana Malattia di Alzheimer) – segnala chiaramente l'inadeguatezza delle informazioni di cui i familiari dispongono. Due terzi degli intervistati dichiarano di non avere una sufficiente conoscenza della malattia; ancora più numerosi (oltre il 75%) sono coloro che non conoscono i servizi e gli interventi ai quali far ricorso. È significativo, a questo proposito, che i familiari non riconoscano nel medico di famiglia la fonte principale di informazioni sulla malattia, rappresentata invece dal medico specialista; importante, e in netta crescita rispetto alla precedente indagine del 1999, risulta in questo campo il ruolo delle associazioni dei familiari e del sistema dei media (giornali e televisioni). Resta pertanto ancora molto da fare in un campo in cui l'alleanza tra i familiari, le loro associazioni e gli operatori sanitari e sociali può produrre, a costi molto contenuti, significativi risultati.

Un discorso analogo può essere fatto per gli interventi di sostegno psicologico. L'assistenza ad una persona demente può innescare, lo abbiamo visto, problemi anche seri di stress, di ansia, di insonnia, di depressione; può minare l'equilibrio del *caregiver*, alterarne i rapporti con gli altri familiari. Egli stesso avverte la necessità di un aiuto, di un sostegno da parte di persone competenti (nella ricerca del Censis è uno dei servizi ritenuti più importanti dai familiari, anche se scarsamente diffuso). Al di là della psicoterapia individuale, si è dimostrata utile per il *caregiver* la partecipazione a gruppi di supporto, condotti da operatori specializzati o dagli stessi familiari, nei quali egli possa confrontarsi con altre persone che vivono esperienze e vissuti simili: con i quali diventa possibile condividere ansie, timori, preoccupazioni, scambiare consigli, soluzioni organizzative, strategie "di sopravvivenza", riuscire ad esprimere anche i propri sentimenti negativi, comprendere meglio le proprie sofferenze e le proprie modalità di reazione.

Questi gruppi di sostegno vengono spesso promossi dalle *associazioni dei familiari dei malati*, associazioni senza scopo di lucro, che riuniscono familiari di ammalati, ricercatori, operatori sociali e sanitari e volontari con lo scopo di migliorare la qualità della vita dei malati e delle loro famiglie grazie ad interventi di:

– informazione e sensibilizzazione dell'opinione pubblica;

– tutela dei diritti dei malati e delle loro famiglie;

– formazione, aiuto e sostegno ai familiari (consulenze specialistiche, "ascolto" e consulenza telefonici, attività diurne per i malati, gruppi di educazione, di sostegno e di auto-aiuto, distribuzione di materiale informativo, ...);

– promozione della ricerca sulla malattia e della sperimentazione di nuovi modelli assistenziali;

– stimolo alle istituzioni perché migliorino le risposte ai bisogni dei malati;

– costruzione di banche dati sulla malattia.

Proprio la pressione di queste realtà associative e la loro collaborazione con operatori sanitari e sociali che si occupano di demenza hanno avuto un grosso ruolo nel favorire lo sviluppo, nel nostro Paese, della rete dei servizi per i pazienti dementi, e la diffusione in particolare di interventi di sostegno e di sollievo per i loro familiari (Centri diurni, Caffè Alzheimer, gruppi di sostegno, telefono Alzheimer, ...).

Le due Associazioni più significative presenti in Italia sono oggi:

– l'*Associazione Italiana Malattia di Alzheimer* (AIMA), che ha sede a Milano ed è presente in molte altre Regioni; può essere contattata tramite telefono (02 89406254), Linea Verde Alzheimer (tel. 800 371332), e-mail (aimanaz@tin.it e segreterianazionale@alzheimer-aima.it), sito Internet (http://www.alzheimer-aima.it/);

– la *Federazione Alzheimer Italia*, che opera a livello nazionale attraverso la segreteria con sede a Milano ed alcune Associazioni Alzheimer Locali in diverse città d'Italia. È membro dell'Alzheimer's Disease International (ADI) e di Alzheimer Europa. Può essere contattata tramite telefono (02 809767), e-mail (alzit@tin.it), sito web (www.alzheimer.it).

4.6 Dalla Russia (con amore?)

Non è possibile concludere questo capitolo senza citare una figura che, negli ultimi anni, ha assunto un ruolo fondamentale nell'assistenza alle persone dementi e nell'aiuto alle loro famiglie: la *badante*.

Badante è una brutta parola, in effetti, che evoca negativamente l'incapacità di chi deve essere "badato" di provvedere a se stesso, e che è stata usata nel tempo per indicare persone con compiti diversi (di accudimento dei bambini, di assistenza e compagnia ad anziani ricoverati nelle case di riposo). È un termine però ormai entrato nell'uso comune, anche sui mezzi di comunicazione. Per tutti noi la badante è una signora (sono rare le persone di sesso maschile, provenienti in genere dal sub-continente indiano), per lo più di mezza età, che giunge – in ordine decrescente – dall'Europa dell'Est, dall'America Latina, dal sud-est asiatico o dall'Africa, dove ha lasciato il marito (quando c'è), i figli ancora in età scolare ed una famiglia allargata, che vivono con le rimesse del suo lavoro. La maggior parte di loro è disponibile a convivere con l'assistito 24 ore al giorno (in genere, con un giorno – la domenica – e un altro pomeriggio di riposo).

Non sappiamo quante sono, anche perché non sempre i pochi dati in nostro possesso distinguono chi è addetto alla cura della casa (che chiameremmo, più correttamente, collaboratrici familiari o "colf") da chi è impegnato nell'assistenza a persone – per lo più anziane – non autosufficienti. In realtà, come riferisce una ricerca condotta recentemente nella provincia di Verona, le mansioni domestiche, quelle di assistenza diretta alla persona e quelle infermieristiche tendono a mischiarsi, ed è soprattutto la loro disponibilità a garantire una presenza continuativa 24 ore su 24 che orienta la famiglia a ricorrere alla badante. La stessa ricerca, estendendo i dati riscontrati nel veronese a tutta la realtà italiana, ipotizza che il numero di badanti nel nostro Paese possa aggirarsi tra 700.000 e 1.100.000! ([7]).

Un esercito di badanti, quindi, che riesce a tamponare le gravi carenze con cui il nostro stato sociale si è trovato ad affrontare l'invecchiamento della popolazione italiana e la conseguente esplosione dell'*epidemia* della demenza. Nel panorama europeo, infatti, l'Italia è agli ultimi posti per l'offerta di servizi pubblici, tanto domiciliari quanto residenziali. Di fatto il compito principale di assistenza alle persone in difficoltà – siano esse minori, disabili o anziani – è sempre stato svolto dalla famiglia; ma la famiglia oggi ha sempre maggiori difficoltà ad assolvere questo impegno perché è profondamente cambiata: alla famiglia allargata si è sostituita da qualche decennio quella "nucleare", è drasticamente calato il numero dei figli, è aumentata la parte-

---

([7]) Spano P., *Le convenienze nascoste. Il fenomeno badanti e le risposte del welfare*, Portogruaro, Nuova Dimensione, 2006.

cipazione delle donne al mercato del lavoro. È anche cambiata la cultura diffusa: al di là dei legami affettivi, molte persone non si sentono in grado, sul piano psicologico ed organizzativo, di farsi carico della responsabilità dell'assistenza. In questa situazione il bisogno di aiuto da parte delle famiglie si è incontrato con un'offerta molto ampia di mano d'opera disponibile a garantire, a costi competitivi, un'assistenza continuativa. Molti *caregiver* riescono oggi ad integrare la cura dei loro congiunti affetti da demenza con l'intervento di una badante durante il giorno o affidano a lei il compito dell'assistenza, 24 ore al giorno, mantenendo per sé funzioni di controllo, di supporto, di sostituzione della badante nelle sue ore libere.

Non si tratta, peraltro, di una soluzione semplice, né scevra di elementi problematici. Innanzitutto, in mancanza di canali formali che mettano in contatto la domanda e l'offerta di queste lavoratrici, l'incontro tra la famiglia e la badante è per lo più affidato a canali informali, spesso ad un "passaparola" tra una famiglia e l'altra, o al suggerimento di donne che già lavorano presso conoscenti. In queste condizioni persiste una vasta area di lavoro irregolare (in nero), indotto in parte, oltre che dai costi economici della regolarizzazione, anche dalle difficoltà burocratiche che accompagnano questo percorso. Una condizione di irregolarità che pesa sulle lavoratrici straniere, più facilmente ricattabili (e non solo dai datori di lavoro: sono ben noti i fenomeni di un vero e proprio racket di queste persone, per lo più gestito da connazionali), ma che pesa anche sulle famiglie, prive di garanzie non solo sull'affidabilità ma anche sulla continuità nel tempo degli interventi assistenziali che "acquistano".

Per la maggior parte le badanti, tra l'altro, anche quelle – ce ne sono tante – più scolarizzate, approdano a questo lavoro senza alcuna formazione professionale, guidate solo dal buon senso e da eventuali esperienze di cura svolte in famiglia, in contesti culturali e socio-economici molto diversi. E con scarsissima conoscenza della lingua italiana, oltre che delle abitudini di vita (pensiamo al problema dell'alimentazione) e dei modelli culturali degli anziani con cui vanno a convivere. In molte di loro suppliscono, fortunatamente, la buona volontà, l'impegno, il radicamento di modelli familiari che assegnano ai vecchi un ruolo di persona da rispettare. Ma non sempre questo è sufficiente: e la difficoltà a stabilire una relazione corretta col paziente demente, ad assisterlo in modo adeguato nelle sue necessità quotidiane, ad interpretare e gestire i suoi bisogni comportamentali rischia di logorare queste lavoratrici, con conseguenze negative non solo per la loro salute ma anche per la qualità dell'assistenza erogata.

Non è un problema di facile soluzione: molte di loro, tra l'altro, tendono spesso a minimizzare il problema, perché hanno difficoltà ad esprimere correttamente le loro difficoltà, o perché temono di apparire inadeguate al loro compito. È importante perciò per i familiari mantenere aperto il colloquio con loro, e magari allearsi con loro nella richiesta di interventi di formazione e di supporto da parte degli operatori pubblici: interventi che si sono dimostrati in grado di migliorare la qualità della cura. Perché, anche in questo caso, un maggior benessere della badante si traduce in un maggior benessere della persona demente e, di conseguenza, dei suoi familiari.

5. I servizi

Paradigma dell'incapacità, della sottrazione, della perdita,
della fragilità, e paradigma della cronicità,
la malattia di Alzheimer ancora una volta ci propone una sfida
di civiltà, prima ancora che un impegno morale e politico:
la logica economica (del mercato e del risparmio) non
deve impedire che il "bisogno", la necessità, il diritto del
paziente siano i principi informatori del welfare e
del sistema sanitario ([1])

La demenza come malattia della famiglia, abbiamo scritto: una famiglia coinvolta in modo totale nella cura e nell'assistenza al proprio congiunto, una famiglia che rifiuta, finché può, di sottrarsi a questo impegno di cura, che ritiene che spetti a lei la responsabilità principale nelle scelte e che la casa sia il luogo ideale per l'assistenza al malato, ma che chiede, spesso silenziosamente, di essere aiutata in questo suo impegno, chiede una rete di servizi davvero in grado di sostenerla, chiede un aiuto concreto per affrontarne anche i costi economici.

È questo il quadro che emerge anche dalla più recente indagine compiuta, dall'Associazione Italiana Malattia di Alzheimer e dal Censis, sui familiari delle persone affette da demenza nel nostro Paese ([2]). Nonostante l'aumento del numero di persone colpite dalla demenza e la conoscenza indubbiamente più diffusa della malattia, la disponibilità di un sistema di servizi di supporto agli ammalati ed alle loro famiglie è ancora, purtroppo, riservata a pochi.

5.1 Nella babele delle sigle: la rete dei servizi per la popolazione anziana

Quando una persona anziana entra in contatto – suo malgrado – con le realtà deputate ad erogare prestazioni assistenziali e sanitarie, si trova spesso ad affrontare un percorso ad ostacoli, fatto di rimandi dall'uno all'altro ufficio, di procedure complesse, di competenze, di interlocutori e di logiche (?) differenti, di servizi che non si parlano, di sigle incomprensibili ... Ha il dub-

---

([1]) Spadin P., *Premessa*, in: AIMA – Censis, *op. cit.*, p. 15.
([2]) AIMA – Censis, *op. cit.*

bio che l'obiettivo segreto del sistema sia proprio quello di scoraggiare i potenziali utenti.

È una visione provocatoria, evidentemente; ma i pur precisi indirizzi normativi e l'impegno delle amministrazioni e degli operatori non riescono a superare le difficoltà poste dalla diversificazione delle competenze (tra Stato, regioni e comuni; tra questi ultimi e le Asl; e così via), dai vincoli legislativi (le prestazioni sanitarie, ad esempio, sono gratuite o sottoposte a ticket, mentre quelle socio-assistenziali sono a pagamento), dalle difficoltà finanziarie (in forza delle quali alcuni farmaci possono essere prescritti solo da uno specialista...). In aggiunta, le competenze sull'organizzazione del sistema sanitario e dei servizi socio-assistenziali sono affidate alle regioni e quanto previsto in Lombardia non corrisponde a ciò che viene garantito in Toscana o in Calabria.

Nonostante queste differenze tra le diverse regioni, e l'utilizzo di criteri e di terminologie non sempre omogenee, il modello di riferimento del sistema dei servizi per gli anziani si ispira ancora, nel nostro Paese, a quello proposto nel 1992 da uno specifico atto di indirizzo approvato dal Parlamento (il Progetto Obiettivo Anziani) che prevede una rete di interventi e servizi articolati a livello domiciliare, territoriale e residenziale.

A livello *domiciliare* vengono offerte:

– prestazioni di natura socio-assistenziale (aiuto domestico, assistenza nelle attività di base della vita quotidiana, pasti a domicilio, interventi economici, telesoccorso, trasporti, ...: prestazioni generalmente garantite dai Comuni attraverso il *Servizio di assistenza Domiciliare*, o SAD);

– prestazioni sanitarie (mediche, infermieristiche, riabilitative, specialistiche) erogate dall'ASL in risposta a bisogni solo sanitari o contemporaneamente agli interventi socio-assistenziali (con l'*Assistenza Domiciliare Integrata* o ADI);

– un vero e proprio intervento di *ospedalizzazione a domicilio* (OD) con il quale l'équipe specialistica ospedaliera gestisce a domicilio anche patologie acute complesse in alternativa al ricovero in Ospedale (in realtà servizi di questo tipo sono presenti in pochissime realtà italiane).

Sul versante *territoriale* sono previsti:

– *centri sociali* con funzioni prevalenti di socializzazione, rivolti alle persone anziane ancora autonome;

– *centri diurni* (CD) destinati invece ad anziani in difficoltà, cui vengono garantite prestazioni socio-assistenziali e sanitarie (dal trasporto al pasto del mezzogiorno, dall'aiuto nei bisogni quotidiani ad interventi di stimolazione cognitiva e motoria, dalle prestazioni infermieristiche a quelle mediche e riabilitative);

– *ospedali diurni* (conosciuti anche con il termine inglese di Day Hospital, DH) che erogano nelle ore diurne tutti gli interventi diagnostici, terapeutici e riabilitativi normalmente offerti dall'ospedale in regime di degenza a tempo pieno.

La rete dei servizi è completata da *presidi residenziali* che, sempre a partire da unità di offerta a contenuto prevalentemente socio-assistenziale, vedono in campo:

– i *nuclei di alloggi protetti* e le *Comunità alloggio*, destinati agli anziani con discreti livelli di autonomia, per i quali risulta sempre più superato il ricovero in strutture residenziali (le Case di Riposo o le Case Albergo): si tratta di soluzioni che salvaguardano l'autonomia della persona garantendole al tempo stesso l'accesso a servizi collettivi (come il ristorante) e l'utilizzo di prestazioni sia socio-assistenziali che sanitarie (compresa la vigilanza sulle 24 ore);

– le *strutture residenziali per le persone non autosufficienti* (denominate, a seconda delle diverse regioni, Case Protette, Residenze Protette, Residenze Sanitarie Assistenziali, Residenze Assistenziali Flessibili, ...) che offrono all'anziano ricoverato "tutti gli interventi medici, infermieristici e riabilitativi necessari a prevenire e curare le malattie croniche e le loro riacutizzazioni ed un'assistenza individualizzata ... orientata alla tutela ed al miglioramento dei suoi livelli di autonomia, al mantenimento degli interessi personali ed alla promozione del benessere" ([3]);

– le *strutture ospedaliere*, in particolare le Unità operative di Geriatria ed i presidi riabilitativi.

La tabella 5.1 illustra schematicamente il sistema a rete dei servizi per gli anziani previsti dal Progetto Obiettivo Anziani della regione Lombardia. Una rete non molto diversa da quelle previste in altre regioni; molto differenziati, da regione a regione, ma anche all'interno della stessa realtà regionale, sono semmai il grado di realizzazione di un simile sistema e l'effettiva copertura dei bisogni che esso è in grado di realizzare.

Affinché però tale rete di servizi riesca a garantire una reale tutela della salute degli anziani oltre alla sua consistenza sono comunque necessarie l'effettiva integrazione tra i servizi sanitari e quelli socio-assistenziali (e tra gli

---

([3]) SOCIETÀ ITALIANA DI GERONTOLOGIA E GERIATRIA (SIGG), *Linee guida della SIGG per le RSA*, Firenze, 2003 (www.sigg.it).

operatori di diversa professionalità) nonché la collaborazione tra tutte le articolazioni della rete. Importante si è anche dimostrata una regia degli accessi alla rete affidata all'*Unità di Valutazione Geriatrica* o UVG (in alcune realtà denominata "unità di valutazione multidimensionale"): un'équipe di operatori di diversa professionalità – infermiere professionale, assistente sociale, medico geriatra – che collabora con l'utente nell'individuare la soluzione più adeguata non basandosi solo sul rispetto di condizioni formali, ma sulla valutazione globale dei bisogni dell'anziano e delle risorse che egli stesso, il suo nucleo familiare e la rete locale sono in grado di mettere in campo.

Tabella 5.1 - Schema della rete dei servizi per gli anziani della Regione Lombardia

Sistema sanitario	**Sistema socio-sanitario**	**Sistema assistenziale**
u.o. geriatria u.o. riabilitazione	R.S.A.	alloggi protetti comunità alloggio
	U.V.G.	
ospedale diurno (DH)	centro diurno integrato (CDI)	centro diurno di socializzazione (CD)
ospedalizzazione domiciliare	A.D.I.	S.A.D.

5.2 La diagnosi di demenza e le Unità di Valutazione Alzheimer (UVA)

Nell'ambito della rete dei servizi per la popolazione anziana, molte regioni hanno definito piani di intervento ed unità di offerta specifici per le persone affette da demenza. Ne parleremo nei prossimi paragrafi. Qui vogliamo soffermarci sul momento che in un certo senso sanziona l'inizio della "carriera" del malato e della sua famiglia: la diagnosi.

Nonostante tra la comparsa dei primi sintomi e la diagnosi permanga ancora un lungo periodo (oltre 2 anni), la maggiore sensibilità e conoscenza della malattia da parte di tutta la classe medica, l'esistenza di protocolli diagnostici convalidati e condivisi, la maggiore disponibilità di risorse diagnostiche e di specialisti competenti (in particolare in ambito geriatrico e neurologico) consentono oggi nel nostro Paese, alla maggior parte dei pazienti, una diagnosi accurata di demenza all'interno del servizio sanitario pubblico. Sintomatici sono, in proposito, i dati forniti da due indagini del Censis: mentre cala drasticamente, tra il 1999 e il 2007, la percentuale di pazienti nei quali la diagnosi di demenza viene posta dal solo medico di famiglia, l'80% dei familiari nel 2007 può contare per la diagnosi su uno specialista pubblico, per lo più nell'ambito di una Unità di Valutazione Alzheimer (UVA).

La nascita delle Unità di Valutazione Alzheimer risale all'anno 2000, quando il Ministero della sanità, nel procedere alla somministrazione gratuita ai pazienti di Alzheimer di alcuni farmaci particolarmente costosi (se ne è accennato nel capitolo 2), ne affidava la prescrizione e il controllo ad una serie di servizi ambulatoriali, collocati sul territorio o presso strutture ospedaliere e gestiti da medici con esperienza specifica di tali problematiche (neurologi, geriatri, psichiatri). Il compito delle UVA avrebbe dovuto esaurirsi con la sperimentazione di questi farmaci, grazie alla verifica della loro efficacia e della loro tollerabilità. La forte domanda da parte dei pazienti e dei loro famigliari, il crescente interesse scientifico sulle patologie demenziali e l'impegno personale di molti operatori sanitari delle UVA ne hanno però imposto la conferma all'interno della rete dei servizi sanitari, trasformandole, da puri centri esperti di somministrazione di farmaci, in punti di riferimento importanti sia per le famiglie che per i medici di medicina generale. La maggior parte delle UVA oggi è in grado di attuare una diagnosi accurata della malattia (definendo il tipo di demenza e la sua gravità) e una valutazione globale dei problemi della persona affetta da demenza, di impostare un piano di trattamento farmacologico dei sintomi cognitivi e psichiatrico-comportamentali, di controllare nel tempo l'evoluzione della malattia e dei suoi sintomi e la risposta alle terapie introdotte, di fornire informazioni e consigli pratici alle famiglie (alcune UVA offrono anche un sostegno psicologico ai *caregiver*), mantenendo un collegamento – là dove sono attivati – con i diversi servizi socio-assistenziali e sanitari per questi pazienti. "Nella maggior parte dei casi le UVA sono diventate il luogo nel quale i pazienti e i familiari si rivolgono per le risposte ai numerosi bisogni di natura medica, psicologica e medico-legale" ([4]).

L'accesso all'UVA è disposto dal medico di famiglia; all'UVA compete la stesura del "piano terapeutico" che consente di ottenere gratuitamente dal Servizio sanitario nazionale i farmaci anticolinesterasici ed alcuni psicofarmaci di più recente introduzione in commercio (e di costo nettamente maggiore rispetto a quello dei farmaci più vecchi).

([4]) Padovani A., *Le Unità di Valutazione Alzheimer e il Progetto CRONOS: ruolo e prospettive future*, in Trabucchi M. (a cura di), *Le demenze*, Torino, UTET, 2005, p. 679.

5.3 I servizi domiciliari

La diagnosi e l'avvio di un programma terapeutico rappresentano peraltro, per il malato e per i suoi cari, solo l'inizio di un percorso lungo e complesso. In questo percorso la famiglia, abbiamo visto, si trova per lo più da sola, potendo contare solo su personale a pagamento, le famose badanti; la loro crescente disponibilità, tra l'altro, se da una parte rappresenta un innegabile sostegno per i familiari, rischia di deresponsabilizzare ulteriormente le istituzioni deputate alla realizzazione della rete dei servizi per questi ammalati, accentuando ancor di più la delega totale alla famiglia dei compiti di assistenza. Al contrario, mentre ribadiscono la volontà di non abdicare alla loro responsabilità nella tutela e nella cura dei loro congiunti, i familiari delle persone affette da demenza chiedono con forza non solo aiuti economici e sgravi fiscali, ma anche la disponibilità di una rete articolata di servizi cui poter accedere gratuitamente per integrare il proprio intervento ed affrontare i momenti di crisi.

In questa rete di servizi un primo livello di sostegno ai familiari dei dementi è rappresentato dai servizi domiciliari. Si tratta di servizi messi in campo sia dalle Asl che dai comuni: nel primo caso vengono offerte prestazioni mediche, infermieristiche e riabilitative, nel secondo interventi di aiuto al malato ed alla sua famiglia per la gestione dell'ambiente domestico e per la cura della persona (assistenza nell'igiene, nella mobilizzazione, nell'alimentazione, ...). Il *Servizio di Assistenza Domiciliare* (SAD) comunale può erogare anche pasti a domicilio, telesoccorso e teleassistenza, un aiuto per i trasporti, consulenza e supporto per le incombenze burocratiche, ecc. Con il termine di *Assistenza Domiciliare Integrata* (ADI) si intende un programma di aiuto a domicilio che prevede la contemporanea fornitura di interventi sanitari e socio-assistenziali. Le prestazioni sanitarie sono erogate gratuitamente, mentre per i servizi di natura socio-assistenziale è in genere previsto un contributo da parte dell'utente.

La disponibilità di interventi diversificati a domicilio è considerata una risposta essenziale ai problemi posti dalle malattie croniche degenerative, e dalla demenza tra queste: malattie che, per la loro lunga durata, il loro impatto sull'autonomia della persona ed il loro forte intreccio con le condizioni della vita quotidiana richiedono un progetto di cura in grado di stabilizzare il quadro clinico, di prevenire e contenere la perdita dell'autonomia e di migliorare la qualità della vita della persona e di chi vive con lei. Purtroppo la diffusione di questi servizi sul territorio nazionale è ancora molto scarsa, interessando poco più del 2% degli ultrasessantacinquenni, con forti differenze sia tra il nord ed il sud del Paese che tra regione e regione e tra Asl e Asl. Nel campione studiato dal Censis, meno di una famiglia su 5 (il 18,5%) usufruisce di prestazioni domiciliari, per una media di 7,6 ore alla settimana, per lo più quando la malattia si trova in uno stadio avanzato.

Certo, per la loro stessa caratteristica i servizi domiciliari non possono garantire la copertura di bisogni di assistenza sulle 24 ore: molti familiari dichiarano infatti di non farvi ricorso, perché la disponibilità di poche ore alla settimana non risolve il loro problema. Ma al di là del loro necessario potenziamento – per il quale anche le famiglie impegnate nella cura devono premere, al fianco delle loro associazioni – tali servizi possono e debbono assumere un ruolo significativo nel percorso di cura delle persone affette da demenza. Nelle fasi iniziali della malattia possono infatti offrire un sostegno a chi vive da solo o in un nucleo familiare fragile, con interventi di supervisione e controllo della capacità della persona di provvedere a se stessa e alla casa, di alimentarsi adeguatamente, di assumere correttamente le eventuali terapie farmacologiche; con la verifica e l'eventuale rimozione di condizioni di rischio ambientale; con la fornitura del telesoccorso o del pasto a domicilio. Con l'aggravarsi della malattia, man mano aumentano i problemi e cresce l'impegno dei familiari, operatori domiciliari adeguatamente preparati possono rappresentare una risorsa importante per i *caregiver* e per le stesse badanti, cui possono offrire prestazioni di consulenza professionale e di aiuto:

– nell'affrontare i problemi di comunicazione con il malato ed i suoi disturbi comportamentali;

– nel gestire le attività di assistenza diretta (pensiamo come molti familiari abbiano dovuto imparare da soli, magari affrontando difficoltà che l'aiuto di una persona competente avrebbe loro evitato, a cambiare un pannolone per l'incontinenza, a mobilizzare dal letto il loro congiunto non più autosufficiente, a somministrare un clistere ...);

– nell'individuare possibili interventi di miglioramento ambientale;

– nell'orientarsi nella "giungla" dei servizi per ottenere le risposte necessarie.

Abbiamo visto – nel capitolo precedente – come possa essere molto prezioso per un *caregiver* anche solo avere un operatore di riferimento con il quale confrontarsi, con il quale poter condividere l'onere psicologico dell'impegno continuativo: una figura disponibile, capace di muoversi nella rete dei servizi per individuare soluzioni praticabili, capace di cogliere per tempo i sintomi di una "crisi" della situazione e di intervenire efficacemente. Si parla molto oggi, nelle cure a lungo termine, della figura del *case manager* (responsabile del caso), della necessità cioè di una figura professionale che si assuma la responsabilità del programma di cura della persona affetta da malattia cronica, che funga da raccordo tra i diversi operatori, sanitari e sociali, che si alternano in questo programma, che supporti l'interessato e la famiglia nel rapporto con i diversi servizi. Questa funzione può essere particolarmente efficace nei confronti dei pazienti dementi le cui famiglie non chiedono prestazioni anonime offerte da operatori in continuo avvicendamento, ma persone riconoscibili, professionisti disponibili, reperibili in caso di necessità. Professionisti capaci di tener conto "della specificità ... e della complessità del disagio, del coinvolgimento emotivo, dei bisogni, insomma di quel sottosistema particolare costituito dall'anziano e dal caregiver" ([5]). Capaci di rispettare e valorizzare il ruolo centrale della famiglia nei processi decisionali e al tempo stesso attenti alla tutela del paziente demente quando i suoi interessi non coincidono con quelli dei *caregiver*.

In questo modo, sapendo evitare i rischi della discontinuità e dell'impersonalità, sapendo promuovere le risorse della famiglia e delle reti di solidarietà presenti nella comunità locale, i servizi domiciliari possono vincere la diffidenza di molte famiglie e sviluppare la loro piena efficacia nel percorso di cura dei pazienti dementi.

5.4 Il Centro Diurno

Nella rete dei servizi per gli anziani, delineata all'inizio del capitolo, abbiamo visto come il Centro Diurno (CD) si collochi, come servizio intermedio, tra l'assistenza domiciliare e le strutture residenziali. Si tratta in realtà di un presidio che, in regime diurno, offre agli utenti un complesso di prestazioni simili a quelle garantite, a tempo pieno, dalle strutture residenziali:

– prestazioni di natura socio-assistenziale, come l'assistenza nelle attività di base della vita quotidiana (mangiare, muoversi, utilizzare i servizi igienici);

– interventi di socializzazione e di stimolazione cognitiva;

– prestazioni sanitarie (mediche, infermieristiche e riabilitative).

([5]) TACCANI P. (a cura di), *Dentro la cura. Famiglie e anziani non autosufficienti*, Milano, Franco Angeli, 1994.

In questo modo il CD riesce a rispondere a bisogni cui l'assistenza domiciliare non è in grado di far fronte, aiuta la persona a mantenere più a lungo la propria autonomia, evita o comunque ritarda il ricorso all'istituzionalizzazione e offre alle famiglie impegnate nella cura un aiuto concreto e i necessari momenti di sollievo.

Il CD può essere collocato sia in uno stabile autonomo (magari contiguo ad un nucleo di alloggi protetti) sia presso una struttura residenziale (in questo caso può utilizzare le risorse professionali ed organizzative della residenza). Opera in genere dal lunedì al venerdì, anche se alcuni Centri hanno scelto di ampliare il supporto alle famiglie a tutto il week-end, con un orario variabile tra le 8 e le 18. L'accesso al Centro, quando i familiari non siano in grado di provvedere autonomamente, è organizzato dai comuni con un proprio servizio o avvalendosi di personale volontario. Agli utenti è in genere richiesta la partecipazione ai costi del servizio.

Il Centro Diurno si è ben presto rivelato una preziosa opportunità tanto per la persona demente quanto per chi l'assiste. Quest'ultimo può infatti ritagliarsi dei momenti di sollievo dall'impegno continuativo, dedicare del tempo a se stesso e alla propria salute, salvaguardare il lavoro e gli equilibri familiari messi a dura prova dal carico assistenziale. Come conseguenza si riducono nel *caregiver* lo stress e la stanchezza e la sua maggiore serenità può favorevolmente ripercuotersi sul malato, interrompendo quel circolo vizioso che lega tra di loro l'irritabilità di chi assiste e quella del paziente.

A sua volta la persona demente accede in genere volentieri ad un simile Centro, dove trova un ambiente ricco di stimolazioni relazionali, cognitive e motorie, dove personale qualificato può mettere in atto progetti di "riabilitazione" cognitiva in grado di contrastare il declino indotto dalla malattia. Nei Centri vengono generalmente proposte, con intensità diversa a seconda delle capacità funzionali e cognitive degli ospiti, attività che utilizzano la musica (ascolto, canto, ballo) e le arti figurative; attività motorie e psico-motorie, di giardinaggio; attività di stimolazione cognitiva (basate sulle terapie della reminiscenza, o di orientamento alla realtà, o semplicemente sulla sollecitazione alla persona, grazie anche alle interazioni possibili in una dimensione di piccolo gruppo, al mantenimento delle sue capacità cognitive).

Dopo una giornata ricca di attività è poi più facile che la persona, affaticata, riposi durante la notte. Con l'aumento progressivo delle domande di accoglienza diurna di persone affette da demenza è ben presto risultata difficile la convivenza di dementi con disturbi comportamentali con utenti cognitivamente integri. Per ovviare a questo problema sono stati istituiti servizi dedicati, i *Centri Diurni Alzheimer* ([6]), che, grazie ad una particolare attenzione all'ambiente, dove le persone possano muoversi in libertà e sicurezza, alla presenza di personale più numeroso e specificamente preparato e alla scelta di programmi assistenziali adeguati, cercano di prevenire e controllare i disturbi comportamentali evitando il ricorso alla contenzione, fisica e farmacologica.

5.5 Il ricovero in ospedale

Poche persone impegnate nell'assistenza ad una persona demente si augurano di aver bisogno di ricoverarla in ospedale. Sanno, per esperienza diretta o riferita da conoscenti, che un ricovero ospedaliero può determinare un brusco, talvolta drammatico, peggioramento delle sue funzioni cognitive. Oppure hanno provato sulla loro pelle l'umiliazione di sentirsi accusati – da medici poco rispettosi della propria etica professionale – di voler "scaricare" il malato in ospedale solo per sottrarsi al loro dovere!

Certo, la persona affetta da demenza ha un equilibrio più fragile e, più degli altri coetanei, è esposto ai rischi delle cosiddette "complicanze ospedaliere": le cadute, le infezioni da germi resistenti agli antibiotici, le piaghe da decubito, soprattutto lo stato confusionale acuto o *delirium* (ne abbiamo parlato nel primo capitolo), che nella persona demente può manifestarsi con un drastico peggioramento della memoria e dell'orientamento e con uno stato di agitazione tale da richiedere la somministrazione di farmaci tranquillanti o addirittura l'applicazione di mezzi di contenzione (con il rischio, in tutti e due i casi, di un ulteriore peggioramento delle condizioni generali del paziente). L'ambiente estraneo, la presenza di persone sconosciute che fanno e pretendono cose incomprensibili, la stessa debolezza legata alla malattia intercorrente accentuano nel malato la confusione, innescano problemi di incontinenza, ne riducono i livelli di autonomia – nel camminare, nell'andare in bagno, nel mangiare – fino ad allora preservati con grande impegno.

D'altra parte sappiamo che tra la demenza e le malattie "somatiche" (cioè del corpo) si instaura una sorta di circolo vizioso: la demenza peggiora l'evoluzione di molte malattie somatiche (le malattie cardio-circolatorie, ad esempio), mentre queste ultime peggiorano le funzioni cognitive e accelera-

---

([6]) Previsti, tra gli altri, dal Piano Alzheimer della Regione Lombardia.

no l'evoluzione della demenza. E sappiamo anche che un buon trattamento delle malattie somatiche – a volte possibile solo in ospedale – può migliorare nel demente sia le prestazioni mentali che le capacità funzionali, risolvendo o prevenendo i disturbi comportamentali.

È del tutto fuori luogo allora evocare una sorta di incompatibilità tra demenza e ricovero ospedaliero: anche la persona demente ha diritto a ricevere le cure che solo l'ospedale può garantire (pensiamo agli interventi chirurgici, ma anche a procedure diagnostiche complesse o a terapie intensive), quando grazie a tali cure sia possibile migliorare la sua "salute" e la qualità della sua vita. Spetta semmai all'ospedale e a tutti gli operatori sanitari che vi lavorano migliorare le proprie competenze e le proprie capacità di far fronte ai complessi bisogni di un malato fragile come quello affetto da demenza: non è accettabile rifiutare le cure ad un paziente demente, ma nemmeno ha senso eseguire con successo interventi chirurgici o procedure diagnostico-terapeutiche anche molto difficili se il risultato viene inficiato dalle conseguenze – evitabili – di una cattiva assistenza nel corso del ricovero. Non si può, ad esempio, rifiutare l'intervento per una frattura del femore ad un demente che prima camminava da solo, ma non ha senso applicargli una protesi d'anca se poi, per la comparsa di piaghe da decubito, non potrà nemmeno iniziare la riabilitazione; così come è assurdo risolvere uno scompenso in un demente malato di cuore e poi rimandarlo a casa incontinente perché durante il ricovero gli è stato applicato, senza una reale necessità, il catetere vescicale!

L'invecchiamento della popolazione e l'aumento degli anziani affetti da demenza chiedono ai medici e a tutti gli operatori sanitari che operano in ospedale di migliorare la loro conoscenza della malattia e la loro capacità di curare anche i più fragili tra gli anziani. La stessa organizzazione dell'ospedale (pensiamo alla diffusione dei day hospital) e le sue caratteristiche ambientali (pensiamo all'altezza del letto e al rischio che una persona possa cadere nell'uscirne o alla difficoltà di togliere i malati dal letto se nella camera non c'è nemmeno lo spazio per una poltrona) devono adeguarsi alle nuove domande.

Ma anche i familiari possono contribuire al buon esito della degenza: da loro, innanzitutto, dipende la possibilità per il medico di ricostruire la storia del malato, di sapere quali erano le sue condizioni prima dell'inizio dell'evento acuto, di conoscere i fattori che possono averlo scatenato; spetta a loro preoccuparsi che il malato abbia con sé, nell'andare in ospedale, gli occhiali o le protesi acustiche o la dentiera; a loro è affidato il compito di segnalare all'équipe curante le abitudini ed i gradimenti del loro congiunto, "traducendo" le diverse modalità con le quali egli riesce ad esprimere il suo disagio ed i suoi bisogni. Se poi, come è auspicabile, vengono ammessi al fianco del malato ricoverato, possono:

– rassicurare il malato, facendogli sentire una presenza amica, facendogli capire che la sua permanenza in un luogo estraneo come l'ospedale è funzionale al suo benessere;

– parlargli con calma, spiegandogli quello che sta succedendo;

– aiutarlo a mantenere l'orientamento nel tempo, a seguire il ritmo della giornata, a non scambiare il giorno con la notte;

– stimolarlo ad alimentarsi correttamente e a bere spesso (salvo diverse indicazioni dell'equipe curante);

– sollecitarlo a mantenere il controllo degli sfinteri, accompagnandolo se possibile in bagno;

– aiutarlo a muoversi nel letto, se possibile, a cambiare spesso posizione, per prevenire le piaghe da decubito;

– proteggere la sua incolumità, aiutandolo quando si alza dal letto, accompagnandolo nei tragitti fuori dal letto per evitarne le cadute;

– acquisire dai medici e dagli infermieri tutte le indicazioni per continuare ad assisterlo al meglio dopo la dimissione.

Proprio questo impegno congiunto, questa "alleanza terapeutica" tra operatori sanitari e familiari (e volontari, quando ci sono) possono migliorare significativamente il risultato del ricovero, riducendo al minimo i rischi dell'ospedalizzazione.

Abbiamo parlato, fino ad ora, del ricovero in ospedale motivato solo da problemi di salute somatica, quasi che la diagnosi e la cura della demenza non comportassero, di per sé, il diritto al ricovero ospedaliero. In realtà nella larga maggioranza dei casi la diagnosi di demenza può e deve essere fatta a livello ambulatoriale o al massimo con qualche giorno di ricovero diurno (day hospital). Anche i trattamenti di riabilitazione cognitiva (cui abbiamo accennato nel secondo capitolo) risultano più efficaci se condotti in regime diurno, senza allontanare la persona dal suo ambiente di vita.

Più complesso è il problema dei malati che presentano disturbi comportamentali difficili da gestire a domicilio: persone che diventano irrequiete, aggressive, che cercano continuamente di scappare, che rifiutano di essere assistite, che scambiano il giorno per la notte. In questi casi difficilmente la famiglia, nel recarsi al pronto soccorso, trova una risposta ai propri bisogni: nessun reparto ospedaliero ritiene il malato "di sua competenza"; quando viene chiamato ad intervenire lo psichiatra – lo specialista che più facilmente si ritrova "col cerino in mano" – provvede al massimo ad un pesante intervento farmacologico, per poi restituire il paziente, solo temporaneamente sedato, ai familiari (magari consigliando loro un precoce, e tutt'altro che facile, ricovero definitivo in una struttura residenziale...). Eppure, abbiamo visto, il disturbo comportamentale richiederebbe una valutazione molto approfondita: perché può celare diverse problematiche, anche di natura somatica; perché i farmaci che lo possono controllare sono delicati e richiedono un attento monitoraggio; perché anche la gestione non farmacologica ha bisogno di una valutazione globale del paziente e del coinvolgimento dei suoi familiari.

Per affrontare questa problematica la Regione Lombardia, con il Piano Alzheimer del 1995, aveva istituito unità operative specialistiche, a livello ospedaliero o extra-ospedaliero, deputate all'accoglienza diurna o a tempo pieno delle persone dementi, cui dovevano garantire una valutazione globale e una diagnosi accurata (in particolare nelle situazioni complesse), la gestione delle patologie intercorrenti, il controllo dei disturbi comportamentali, la promozione dei livelli di autonomia e l'avvio del trattamento dei disturbi cognitivi e psichiatrico-comportamentali. Sebbene queste unità operative (allora denominate *Centri Regionali Alzheimer*) siano state nel tempo progressivamente abbandonate dalla programmazione regionale, il loro ruolo, nell'assicurare a questi malati una diagnosi tempestiva e precisa e un corretto approccio terapeutico e nel sostenere i caregiver nel loro impegno di cura, è stato ed è tuttora prezioso. Si tratta peraltro di un modello facilmente riproducibile – basta attrezzare alcuni locali anche all'interno di un reparto geriatrico, o neurologico, o psichiatrico, e formare adeguatamente il personale – che può offrire una risposta concreta ad un bisogno in continua crescita.

Un ultimo punto sul quale vale la pena di soffermarsi parlando di ospedale è quello della *degenza riabilitativa*. Quando una persona affetta da demenza viene colpita da un evento invalidante (un ictus, una frattura), ha senso sottoporlo ad un intervento riabilitativo? Vale la pena ricoverarlo in un reparto di riabilitazione? Per molto tempo a queste domande si è risposto negativamente: la presenza di un deterioramento cognitivo era considerata un ostacolo insormontabile al recupero dell'autonomia motoria e la maggior parte di questi pazienti veniva rifiutata dai presidi riabilitativi.

Negli ultimi tempi l'orientamento sta cambiando; alcune ricerche hanno dimostrato che un trattamento riabilitativo intensivo e precoce può ottenere, nelle persone dementi, miglioramenti dell'autonomia sovrapponibili a quelli che si ottengono nei pazienti cognitivamente integri. Indubbiamente, la presenza della demenza rende le cose più complesse, innanzitutto perché, come nella fase acuta di malattia, anche nel corso di una degenza riabilitativa sono maggiori i rischi delle complicanze ospedaliere. In secondo luogo perché non è possibile accostarsi a questi pazienti senza tener conto delle loro difficoltà a comprendere le indicazioni del fisioterapista e a comunicare le loro necessità; senza tener conto di quei problemi neurologici (come l'aprassia) o sensoriali (l'ipoacusia, i disturbi della vista) ai quali abbiamo accennato nel terzo capitolo, o della loro difficoltà a mantenere a lungo l'attenzione e la concentrazione, ad apprendere nuovi comportamenti. Un ambiente ospedaliero accogliente, ricco di stimoli, capace di favorire l'orientamento, e un gruppo di lavoro attento e preparato all'assistenza a questi pazienti sono in grado di evitare complicanze e di migliorare il loro stato funzionale. Quando poi la situazione clinica del malato e la disponibilità di chi lo assiste a casa lo consentono, può essere opportuno attuare, o proseguire, il trattamento riabilitativo in regime di Day Hospital o direttamente a domicilio, riducendo così i rischi dell'ospedalizzazione e sfruttando lo stimolo che l'ambiente domestico può esercitare sulla ripresa dell'autonomia.

La riabilitazione resta comunque una componente fondamentale della tutela della salute che la Sanità deve garantire anche alle persone dementi e che i loro familiari hanno il diritto di chiedere; tra l'altro proprio in questi pazienti, già gravati da importanti livelli di dipendenza, miglioramenti anche modesti dell'autonomia possono avere un grosso impatto sulla qualità della vita, loro e di chi li assiste.

5.6 Quando non è più possibile rimanere a casa. Le strutture residenziali per le persone affette da demenza

L'evoluzione della demenza, la perdita progressiva dell'autonomia nella vita quotidiana, la comparsa di problemi di natura internistica, soprattutto la difficoltà a gestire i disturbi comportamentali possono indurre la famiglia a chiedere il ricovero del loro congiunto in una struttura residenziale. Si tratta di una decisione difficile per la famiglia, carica di ambiguità e di sofferenza.

Di ambiguità, innanzitutto. La larga maggioranza dei familiari dei dementi intervistati dal Censis (sono quasi 9 su 10) rifiuta infatti l'idea di ricoverare il proprio congiunto in una struttura residenziale, ritenendo la casa il luogo ideale per il malato. Al massimo ritengono accettabile – ma solo 30 familiari su 100 – l'ipotesi di un ricovero di sollievo durante i week-end o per qualche settimana nel corso dell'anno. Si tratta di dati che confermano il forte legame affettivo tra il *caregiver* ed il malato e la difficoltà a delegare agli altri il compito dell'assistenza, quasi si trattasse di un abbandono del proprio caro, di una rinuncia ad un dovere morale particolarmente sentito.

Quando d'altra parte i familiari decidono – spesso al prezzo di gravi sofferenze e di un forte senso di colpa – di ricoverare il malato, si scontrano con la ben nota carenza dei posti letto. In Italia infatti, a fronte di una media europea di 5 posti letto nelle strutture residenziali ogni 100 ultrasessantacinquenni, sono disponibili poco più di 2 posti letto, con importanti differenze tra il nord ed il sud, dove c'è meno di un posto per 100 anziani! E diventa lecito sospettare che la tanto sbandierata "tenuta" della famiglia italiana sia, almeno in parte, il frutto avvelenato di una mancata programmazione dei servizi che scarica sulla famiglia oneri impropri.

Tra l'altro, la causa principale del ricorso al ricovero è per i familiari l'aggravarsi dei disturbi comportamentali e non è raro che proprio la presenza di tali disturbi rappresenti un ostacolo all'accoglienza in alcune residenze "non attrezzate ad assistere tali ammalati"!

Ci sono poi i problemi concreti delle "pratiche" per la domanda di ricovero, delle liste d'attesa, del costo del servizio. Alcune Asl, fortunatamente, hanno organizzato sia le modalità di accesso (grazie alla valutazione da parte di un'équipe, l'UVG di cui abbiamo parlato nel primo paragrafo, nella quale sono presenti competenze sociali e sanitarie) che le liste d'attesa comuni a tutte le residenze del loro territorio. In altre realtà i familiari sono costretti ad una via crucis, umiliante, di ripetute domande su moduli diversi, di attese in liste sempre più lunghe, alla ricerca di qualche scorciatoia, di qualche raccomandazione ...

Un ulteriore problema che spesso condiziona pesantemente la scelta per il ricovero è quello dell'alto costo di queste strutture. Si tratta infatti di servizi "socio-sanitari", nei quali solo una parte dei costi (quelli legati alle prestazioni sanitarie) viene coperta dal fondo sanitario regionale, mentre gli oneri per le prestazioni alberghiere e per una parte del personale addetto all'assistenza diretta rimangono a carico dell'interessato e dei suoi familiari (con il contributo, quando questi ultimi non abbiano redditi sufficienti, dei comuni). L'aumento continuo dei costi di queste strutture (peraltro difficilmente contenibile, se non al prezzo di ridurre la presenza del personale, per lo più già insufficiente), la cronica carenza di risorse che affligge tanto i comuni quanto il Servizio sanitario nazionale, la sottovalutazione del problema delle malattie croniche e, al loro interno, dell'assistenza ai dementi, hanno determinato negli ultimi anni un progressivo aumento dei costi delle rette delle strutture residenziali per i familiari, fino a livelli difficili da affrontare. È un problema grave la cui soluzione, l'istituzione di uno specifico "fondo per la non autosufficienza", benché teoricamente condivisa da tutte le forze politiche, ha visto recentemente solo un timido avvio.

Ma quale assistenza offrono queste strutture agli ospiti dementi (che, non dimentichiamo, rappresentano ormai ben più del 50% dei ricoverati)? Anche in questo campo la realtà è tutt'altro che omogenea, e non solo per le modalità in parte diverse con le quali le singole regioni hanno tradotto la normativa nazionale. Pur con alcuni ritardi, nella maggior parte delle realtà le strutture hanno dimensioni contenute (le norme nazionali prevedono al massimo 120 posti letto, con alcune deroghe), sono articolate in nuclei funzionali di 15-30 posti letto, garantiscono agli ospiti camere a 1 o 2 letti e sufficienti spazi di vita comune, oltre ai locali destinati ai servizi. La residenza è tenuta ad assicurare personale sia sanitario (medici, infermieri e fisioterapisti) che socio-assistenziale (operatori addetti all'assistenza ed alle attività di animazione), in genere nel rispetto di standard definiti dalle singole regioni. In molte realtà è in atto, da un paio di decenni, lo sforzo di adeguare sempre più queste strutture al progressivo mutare dei bisogni degli ospiti, gravati da crescenti livelli di dipendenza, da importanti bisogni sanitari e, come abbiamo visto, anche dalla compromissione delle funzioni cognitive. Si è cercato di migliorare gli ambienti delle residenze, di superare il "marchio" dell'istituzione totale ([7]) che ancora le caratterizzava pochi decenni or sono, per offrire un ambiente più confortevole, più stimolante, meno ospedaliero e più domestico, nel quale l'ospite abbia a disposizione un minimo di privacy (anche se è ancor troppo scarsa la dotazione di camere singole) e insieme la possibilità di incontrarsi e socializzare con gli altri ospiti. Soprattutto è in atto il tentativo di innovare i modelli assistenziali, basandoli sempre più su una valutazione globale, da parte di tutti i membri dell'equipe, dei bisogni dell'ospite e sulla definizione di progetti di assistenza individualizzata, tesi a valorizzarne le funzioni residue, a compensarne i deficit, a promuoverne la partecipazione ad attività signi-

---

([7]) Il termine di *istituzione totale* è stato coniato negli anni '60 del secolo scorso per indicare quelle strutture residenziali (in primo luogo i vecchi manicomi, ma anche gli orfanotrofi, o le strutture di ricovero per disabili) nelle quali la rigida organizzazione delle attività, la convivenza forzata con altre persone e l'impossibilità di decidere autonomamente anche delle cose più piccole tende a privare la persona ricoverata della propria individualità.

ficative, a prevenire e curare le oscillazioni del suo stato di salute. Si tratta peraltro di un percorso, di innovazione e di adeguamento alla nuova domanda posta da una realtà in rapida trasformazione, tutt'altro che compiuto e omogeneo, che convive con situazioni di degrado ormai inaccettabili, che si scontra quotidianamente con le risorse sempre insufficienti, con la difficoltà a reperire personale qualificato, con l'insufficienza complessiva della rete dei servizi.

In questo sforzo di innovare i modelli assistenziali un ruolo importante ha avuto proprio l'impatto con le residenze dell'*epidemia* della demenza. Man mano infatti, a partire dai primi anni '80, è andato aumentando il numero di pazienti dementi all'interno delle residenze, si è subito avvertita la difficoltà a garantire una risposta adeguata a persone portatrici di bisogni molto diversi. In particolare risultava difficile la convivenza con persone cognitivamente integre di ospiti dementi con disturbi del comportamento (persone che gridano, che girano continuamente nel reparto, che afferrano tutto quello che trovano, anche i pochi beni personali degli altri ospiti; che possono reagire aggressivamente a chi tenta di ostacolarli, ...).

La soluzione è stata individuata in nuclei speciali per le persone dementi con disturbi comportamentali, i *Nuclei Alzheimer*: nuclei dotati, in genere, di spazi più ampi, nei quali le persone dementi possono muoversi con maggiore libertà e nella massima sicurezza, e di personale più numeroso e soprattutto preparato ad offrire a questi ospiti un'assistenza più adeguata. Il modello di riferimento è quello dell'assistenza protesica ([8]), in forza della quale la valutazione attenta del paziente consente di impostare un modello di cura rispettoso delle sue potenzialità e di "compensare", grazie all'ambiente adeguato, all'intervento di operatori preparati e a programmi mirati i suoi deficit funzionali, cognitivi e neurologici, riducendo al tempo stesso i disturbi comportamentali senza ricorrere alla "contenzione" farmacologica e fisica (tab. 5.2).

([8]) Come dopo l'amputazione di una gamba si fornisce alla persona una protesi che sostituisce la parte perduta, consentendole di camminare, così il modello di assistenza protesico, dopo aver valutato capacità e deficit del malato, organizza "il microambiente (persone, programmi e spazio fisico) in una protesi di assistenza volta a compensare i deficit del paziente, a favorire le funzioni esistenti o residue e a migliorare al massimo la qualità della vita" (JONES, M., *op. cit.*, p. 41).

Tabella 5.2 - Il modello protesico di assistenza alle persone dementi

La protesi *ambiente*: – sicurezza (eliminazione di barriere e rischi ambientali; sistemi di chiusura particolari e/o segnalazione elettronica dell'allontanamento degli ospiti; ...); – percorsi interni ed esterni ("giardino Alzheimer") per la deambulazione libera; porte mimetizzate; – arredo familiare, confortevole; – stimolazione all'orientamento; – stimolazione sensoriale (illuminazione adeguata; uso di colori, musica, profumi, ...); – riduzione degli stimoli eccessivi, che possono determinare irritazione e confusione; – disponibilità di spazi ampi, diversificati, caratterizzati nella loro funzione; – disponibilità di elementi di arredo e di oggetti di uso comune; – ...
La protesi *persona*: – selezione del personale; – formazione del personale alla conoscenza della malattia, alla comunicazione col malato, alla comprensione e alla gestione dei disturbi comportamentali; – lavoro di gruppo; – coinvolgimento della famiglia nel progetto assistenziale; – informazione e formazione dei familiari; – sostegno psicologico; – ...
La protesi *programmi*: – programmi semplici, flessibili; – basati sulle attività della vita quotidiana; – capaci di stimolare le relazioni interpersonali, le emozioni, l'affettività; – carichi di ritualità; – significativi per la persona; – ...

I primi Nuclei Alzheimer per ospiti dementi con disturbi comportamentali vennero previsti dalla regione Lombardia con il Piano Alzheimer del 1995. Mentre la successiva normativa lombarda ha rinunciato alla diffusione di tali nuclei ([9]), servizi analoghi sono stati istituiti da altre regioni (l'Emilia Romagna, ad esempio, la Toscana, il Lazio, le Marche, ...) o, spontaneamente, da numerose Residenze al di fuori della programmazione regionale.

Compito dei Nuclei Alzheimer è anche l'accoglienza temporanea dei pazienti dementi. Abbiamo visto come relativamente poche famiglie dichiarino di essere interessate a questi *ricoveri di sollievo* (anche se non sappiamo se la loro valutazione sia condizionata dalla scarsa disponibilità di tale offerta).

([9]) Sono oggi disponibili poco più di 1.200 posti letto in una regione che conta circa 53.000 letti in RSA!

Può essere invece molto importante, per una famiglia impegnata tutto l'anno nella cura al proprio congiunto, avere un periodo di tregua, prendersi una vacanza. Non è una scelta egoistica, al contrario: detendere lo stress, riposare, ritemprare le forze, serve per affrontare il proprio impegno assistenziale con più vigore e con più serenità, e il primo a sentirne il beneficio, al suo ritorno a casa, sarà proprio il malato.

Semmai, anche in questo caso, il vero problema è la scarsa disponibilità di ricoveri di sollievo, che si aggiunge alla scarsa disponibilità di posti letto per ricoveri definitivi, al loro eccessivo costo, alla qualità spesso inadeguata dell'assistenza che le strutture offrono: tutti temi sui quali i familiari, con le loro associazioni, non devono stancarsi di far sentire sempre più alta la propria voce.

Un'ultima riflessione merita l'impatto che il ricovero in una residenza ha sui familiari del malato. Abbiamo accennato alla sofferenza che accompagna la decisione di ricoverare il proprio congiunto. È una sofferenza che non si attenua, in genere, con l'ingresso del malato in struttura: è vero, il ricovero solleva il familiare del carico fisico dell'assistenza, gli restituisce parte del tempo sottratto a se stesso ed al resto della famiglia; ma anche il ricovero è un lutto, una perdita, che deve essere progressivamente elaborata ed accettata. Nell'impatto con la residenza, il familiare della persona demente avverte la fragilità del proprio congiunto, è preoccupato della sua incapacità di esprimere i propri desideri ed i propri bisogni; vive in modo più spiccato l'angoscia ed il senso di colpa nell'affidarlo (abbandonarlo, verrebbe da dire) a persone estranee, ad una situazione nella quale non è riproducibile il modello di assistenza personalizzata che vigeva a domicilio; ha difficoltà a comprendere e ad accettare la razionalità (quando c'è!) dei modelli organizzativi che reggono la struttura, guarda con diffidenza all'alternarsi quotidiano del personale turnista, teme – o avverte – la precarietà dei sistemi reali di comunicazione all'interno del gruppo di lavoro. Tutto questo porta facilmente i familiari degli ospiti dementi ad una presenza più continuativa, attenta; una presenza che può essere fonte di disagio, di scontro tra chi rileva le pecche dell'assistenza erogata e chi avverte la sfiducia nei propri confronti; tra chi chiede – giustamente – una risposta personalizzata alle richieste più minute e chi è costretto a tener conto delle esigenze di tutti e dei limiti anche oggettivi dell'organizzazione. Una presenza che può però rappresentare un'opportunità per la stessa residenza se si riesce ad instaurare un colloquio franco, aperto, una collaborazione reciproca, una vera e propria alleanza terapeutica, perché entrambi gli attori – i familiari dei malati e gli operatori che li assistono – condividono l'angoscia che nasce dalla convivenza quotidiana con la demenza, con il declino somatico e funzionale, con l'immanenza della morte, e solo il riconoscimento reciproco li può aiutare a lavorare insieme per il benessere dell'ospite, che è anche il benessere tanto dei familiari quanto dei curanti.

5.7 I benefici economici

I comuni, le Asl, le associazioni dei malati, i patronati (delle principali organizzazioni sindacali, delle Acli, ...) possono fornire agli interessati tutte le informazioni sui benefici previsti dalla legislazione nazionale e locale a favore delle persone malate o disabili e dei loro familiari.

In questa sede vale la pena di ricordare soprattutto l'*assegno di accompagnamento*, contributo economico mensile erogato dalla Prefettura quando l'apposita commissione dell'Asl abbia riconosciuto la condizione di invalidità della persona e la sua incapacità a compiere autonomamente gli atti quotidiani della vita (camminare, alzarsi dal letto, lavarsi, vestirsi, utilizzare i servizi igienici, mangiare). Si tratta di un contributo esente da imposte ed erogato indipendentemente dal reddito dell'interessato e della sua famiglia; il diritto al contributo – se riconosciuto – scatta dal primo giorno del mese successivo alla domanda, e si mantiene anche nel caso la persona sia ricoverata in una struttura residenziale, purché almeno parzialmente a carico dell'interessato. Alla domanda che viene presentata all'Asl devono in genere essere allegati la documentazione sanitaria in possesso della persona, un certificato del medico di famiglia ed una certificazione specialistica (di un geriatra, di uno psichiatra, di un neurologo) che attesti, oltre alla situazione clinica, anche i livelli di autonomia ed il grado di compromissione cognitiva. Alla visita medica disposta dalla Commissione l'interessato può farsi assistere da un medico di fiducia. In caso di esito negativo, ha la possibilità di impugnare il verbale e di presentare ricorso, entro 6 mesi, davanti al giudice ordinario.

La stessa Commissione può riconoscere alla persona (soprattutto se mantiene ancora discreti livelli di autonomia nelle attività quotidiane) una condizione di invalidità superiore al 67% senza diritto all'assegno di accompagnamento. In questi casi scattano comunque alcuni benefici, quali il diritto all'esenzione dal pagamento dei ticket sanitari, alla fornitura gratuita di ausili (ad esempio i presidi per l'incontinenza), alla tessera di libera circolazione sui mezzi pubblici di trasporto, alla priorità nell'assegnazione delle case popolari.

Con la stessa domanda presentata alla commissione dell'Asl può essere richiesto anche l'accertamento della presenza di una *situazione di handicap grave*, a norma della legge 5 febbraio 1992, n. 104. Il riconoscimento della condizione di handicap grave consente a chi presta assistenza in via continua ed esclusiva, se coniuge o parente o affine entro il terzo grado (perciò anche il cognato o il suocero), di ottenere tre giorni mensili di permesso dal lavoro, retribuiti e coperti da contribuzione figurativa (pertanto computati ai fini dell'anzianità lavorativa). Grazie alla stessa legge il familiare che presta assistenza può chiedere, ove consentito dall'organizzazione del datore di lavoro, la sede di lavoro più vicina alla persona disabile. Sono inoltre previste agevolazioni fiscali per "spese mediche e di assistenza specifica necessarie", per il pagamento del personale di assistenza, per il costo della retta di ricovero in una struttura residenziale, per l'eliminazione di barriere architettoniche o per l'acquisto di ausili e di mezzi di trasporto adattati.

Alcuni comuni, infine, erogano contributi economici, per lo più legati al reddito dell'interessato, alle famiglie che garantiscano direttamente l'assistenza continuativa (*assegni di cura*) o che impieghino in questo compito una badante (contribuendo, in questo modo, ai costi della sua regolarizzazione).

5.8 La tutela legale: l'amministratore di sostegno

Chi assiste una persona demente è spesso chiamato ad assumere delle decisioni per conto del malato. Il progressivo declino delle capacità cognitive gli impedisce infatti di provvedere ai propri interessi economici e di compiere atti giuridicamente validi; col tempo non è più in grado neppure di ritirare la pensione o di apporre la propria firma su un documento.

In queste condizioni la legge prevedeva per i familiari la possibilità di far riconoscere tale incapacità attraverso lo strumento dell'*interdizione* e la nomina di un tutore. Erano pochi però i familiari che vi ricorrevano: perché l'interdizione veniva disposta a seguito di un processo legale, con un procedimento lungo e oneroso, ma anche perché la sanzione legale dell'incapacità "di intendere e di volere" era psicologicamente difficile da accettare, quasi fosse uno stigma, un "marchio indelebile" che sancisce la "minorità" della persona.

Nel 2004 la legge n. 6 ha istituito una nuova figura, l'*amministratore di sostegno*, fortemente richiesta dalle associazioni dei disabili e dai familiari delle persone dementi. Secondo questa legge, ogni persona che "per effetto di un'infermità ovvero di una menomazione fisica e psichica, si trova nell'impossibilità, anche parziale e temporanea, di provvedere ai propri interessi, può essere assistita da un amministratore di sostegno nominato dal giudice tutelare". Nel nominare un amministratore di sostegno il giudice dopo avere verificato le condizioni psico-fisiche del malato, anche grazie alla sola documentazione medica, individua una persona di fiducia (prioritariamente un familiare, se disponibile) e ne precisa i compiti e gli atti nei quali egli deve sostituirsi al beneficiario e quelli nei quali lo deve solo assistere e consigliare. Si tratta pertanto di una figura con funzione non obbligatoriamente sostitutiva, ma di sostegno, che una persona anziana non demente può richiedere per affrontare incombenze troppo complesse o in previsione della propria eventuale futura incapacità. Oltre che dall'interessato, può essere richiesto dai familiari o, nel caso ne ravvisino il bisogno a tutela della persona, anche dagli operatori sociali e sanitari. Nei confronti dell'interdizione, la nomina dell'amministratore di sostegno ha inoltre il vantaggio di comportare tempi ridotti (il giudice dovrebbe provvedere entro 60 giorni dalla presentazione della domanda) e di comportare per i richiedenti minori oneri (il procedimento non prevede l'assistenza di un legale, e l'interessato è esonerato dal pagamento dei bolli) ([10]).

5.9 Le dichiarazioni anticipate di trattamento

La legge 9 gennaio 2004 n. 6, che ha istituito l'amministratore di sostegno, prevede, come abbiamo accennato, la possibilità per una persona di nominare anticipatamente il proprio amministratore di sostegno in previsione di una eventuale e futura incapacità (per esempio, nel caso sopraggiunga una malattia grave come la demenza). Con un atto pubblico o una scrittura privata autenticata da un notaio ciascuno di noi può indicare una persona di sua fiducia, che il giudice tutelare sarà poi tenuto a nominare quale amministratore di sostegno, alla quale affida in anticipo precise indicazioni sia in merito alla gestione dei suoi interessi patrimoniali che per quanto riguarda i trattamenti sanitari cui la persona intende o meno sottoporsi.

([10]) Nella realtà la ridotta disponibilità di magistrati allunga i tempi ben oltre i 60 giorni; alcuni giudici inoltre chiedono all'interessato l'assistenza di un avvocato.

Si tratta, per quest'ultimo aspetto, di un problema molto delicato, al centro di un vivace dibattito sia in ambito politico che scientifico ed etico. Una legge nazionale – in discussione da tempo in Parlamento – sta infatti cercando di definire gli ambiti nei quali le dichiarazioni (o direttive) di trattamento anticipate dovranno applicarsi e di precisare le modalità con cui ogni cittadino può predisporre il proprio *testamento biologico* anche attraverso la nomina di un *fiduciario* che ne faccia rispettare le volontà.

L'articolo 32 della Costituzione della Repubblica italiana sancisce il diritto di ogni cittadino a decidere a quali cure intenda sottoporsi. Le norme di legge – quelle attuali e quelle da molti auspicate sul testamento biologico – intendono rendere effettivo questo diritto all'autodeterminazione fino alle fasi finali della vita, anche quando la persona non è più in grado di decidere.

Restano però molte perplessità sull'effettiva possibilità, soprattutto per chi è nel pieno della propria salute ed è profondamente permeato dalla cultura efficientistica e giovanilistica che connota il nostro tempo, di prefigurarsi la propria morte o un destino di totale o parziale autonomia. Col passare del tempo, con l'avvicinarsi della vecchiaia, molte cose possono cambiare: non solo le cure che la medicina può mettere in campo, ma anche l'atteggiamento con cui la persona si accosta alla sofferenza, alla dipendenza ed alla morte, la sua scala di priorità, il suo sistema valoriale. Per il medico e per gli operatori sanitari che entrano in contatto con il malato di demenza, le dichiarazioni anticipate di trattamento non possono d'altra parte costituire un alibi per evitare alcune decisioni particolarmente delicate, una giustificazione per affrontare in modo distaccato, quasi burocratico, tematiche che li coinvolgono a fondo anche sul piano emotivo ([11]).

Le associazioni dei malati, e molti di coloro che operano professionalmente con gli anziani più fragili, temono infine che dietro la pressione per una scelta consapevole da parte di ogni persona sul suo futuro ci siano in realtà motivazioni di ordine economico, utilitaristico, in nome delle quali "non valga la pena" sprecare risorse sempre più scarse per garantire cure molto costose a malati che non hanno possibilità di recupero: che in nome del rifiuto, sacrosanto, dell'accanimento terapeutico prevalga un atteggiamento, specularmente inaccettabile, di rinuncia ad ogni intervento terapeutico (ed alla cu-

---

([11]) Secondo alcune ricerche, è spesso proprio il medico ad avere maggiori difficoltà ad affrontare col malato i temi relativi alle fasi terminali della vita: molti malati vorrebbero parlarne, ma si aspettano che sia lui a prendere l'iniziativa.

ra?) ([12]), un'"eutanasia da abbandono" motivata sulla base della sola diagnosi (oggi è la demenza allo stadio avanzato, domani?).

Proprio la delicatezza delle tematiche della fine della vita e l'impossibilità, per la persona demente nello stadio avanzato di malattia di esprimere coscientemente le sue volontà richiedono invece un percorso decisionale più lungo e meditato, che veda in campo:

– una discussione più ampia su questi problemi, non lasciata ai soli esperti, non condizionata dalle semplificazioni giornalistiche o da condizionamenti ideologici, che a partire da elementi di conoscenza e dal confronto delle diverse opinioni aiuti ogni persona a maturare il proprio orientamento;

– il coinvolgimento della persona nei processi decisionali nelle fasi iniziali della malattia, quando è ancora in grado di assumere le proprie decisioni e di condividere con il medico le sue credenze, i suoi valori, le sue aspettative; non è facile, certo, comunicare ad una persona che è stata colpita da una malattia per la quale non abbiamo ancora una cura: ma sapere cosa l'attende è pur sempre un suo diritto e spesso lei stessa avverte in modo confuso la minaccia della malattia, ha bisogno di essere rassicurata, di sapere che ci sarà qualcuno al suo fianco, che non sarà lasciata sola;

– una costante alleanza tra il medico, gli altri operatori impegnati nella cura al malato e la sua famiglia: perché la reale volontà del malato in ordine alle fasi ultime della propria vita possono emergere non solo (quando c'è) dalla lettura di un atto notarile ma dalla condivisione continua delle condizioni cliniche del malato, delle aspettative che tali condizioni autorizzano, delle possibilità concrete di migliorare la sua qualità di vita, e dei sentimenti, dei ricordi, delle testimonianze che sono rimaste impresse nel "corpo familiare".

5.10 La Carta dei diritti del malato di Alzheimer

Riportiamo qui la "Carta dei diritti del malato di Alzheimer", approvata nel 1999 dalle associazioni internazionale (Alzheimer Disease International) ed europea (Alzheimer Europe) dei familiari dei malati, perché riteniamo che

---

([12]) La lingua italiana utilizza il termine "cura" per indicare tanto l'intervento tecnico, medico ed infermieristico (nella lingua inglese definito *cure*), quanto la più globale assistenza al malato (in inglese *care*), fatta da un insieme di atti tecnici ma anche dalla presa in carico dei suoi bisogni fisici, psicologici e spirituali.

quanto vi è riportato debba rappresentare non solo la base per la rivendicazione, da parte dei malati e delle loro famiglie, di una diversa attenzione ai loro problemi, ma anche i valori cui devono ispirarsi tutti coloro che a diverso titolo operano a fianco di questi malati.

- Diritto del malato a un rispetto e a una dignità pari a quella di ogni cittadino.
- Diritto del malato a essere informato, nelle fasi precoci della malattia, e dei congiunti o rappresentanti legali in qualsiasi fase della stessa, per quanto possibile, sulla sua malattia e sulla sua possibile evoluzione.
- Diritto del malato (o del rappresentante legale) a partecipare, per quanto possibile, alle decisioni riguardanti il tipo di cura e di assistenza presente e futura.
- Diritto del malato ad accedere ad ogni servizio sanitario-assistenziale al pari di ogni altro cittadino: questo diritto implica che siano rivolte attenzioni particolari affinché i malati di Alzheimer possano realmente accedere a certi servizi da cui la loro mancanza di autonomia tende ad allontanarli.
- Diritto del malato di disporre di servizi specializzati, che affrontino specificamente i problemi della demenza.
- Diritto del malato e di chi si prende cura di lui di scegliere tra le diverse opzioni di cura-assistenza che si prospettano.
- Diritto del malato, considerata la sua vulnerabilità, a una speciale tutela e garanzia contro gli abusi fisici e patrimoniali.
- Diritto del malato, in assenza di rappresentanti legali o nel caso in cui i potenziali rappresentanti legali rifiutassero la tutela, di avere per legge un tutore ufficiale scelto dal Tribunale.

6. L'anziano e il movimento

6.1 Il movimento: *in motu vita* (1)

Movimento significa vita: dalla singola cellula all'intero organismo, attraverso una mirabile organizzazione di reciprocità tra forma e funzione, la sostanza umana vivente è caratterizzata dal movimento. Che si esprime secondo modalità e ritmi propri della funzione dei diversi tessuti, organi, apparati, dell'intero organismo: l'insieme dei diversi movimenti agisce a volte in sinergia, altre in antagonismo (pensiamo al gioco dei vari gruppi muscolari) sempre però in una situazione di equilibrio che rimane tale se l'individuo conduce una vita sana.

Ogni organo, ma soprattutto ogni apparato ha il "suo" tema di movimento strettamente collegato all'obiettivo funzionale cui è preposto. All'apparato neuro-muscolare spetta il ruolo più importante nel consentire il movimento del nostro corpo o di parti anche piccole di esso, nel controllarne la posizione nello spazio, nel consentire alla persona le molteplici attività quotidiane e la stessa vita di relazione. Al buon funzionamento dell'apparato neuro-muscolare dobbiamo la possibilità di spostarci, di lavorare, di praticare attività sportive, ma anche di coltivare rapporti sociali ed interessi culturali, di esprimere i nostri sentimenti, i nostri affetti, la nostra personalità (si pensi alla ricca gamma gestuale ed alla mimica facciale, personalissime per ciascun individuo, che accompagnano e rafforzano l'espressione verbale).

Non è questa la sede per una descrizione dettagliata dei meccanismi anatomici e fisiologici (2) che presiedono il movimento. Ricordiamo solo, a proposito del tessuto muscolare, che la specie umana presenta due tipi di muscoli: striati e lisci. La muscolatura "striata", così definita perché all'esame

---

(1) "Nel movimento la vita".

(2) L'anatomia è la scienza che studia la conformazione del nostro corpo (come è fatto); la fisiologia ne studia invece il funzionamento (come funziona).

microscopico presenta delle striature trasversali, è anche detta scheletrica per le sue inserzioni sullo scheletro ed è soggetta alla volontà; la sua azione è cioè guidata da un impulso volontario che nasce dal sistema nervoso centrale, si trasmette ai nervi periferici e giunge (attraverso una serie di complessi passaggi) ad azionare le fibre muscolari producendo l'azione motoria ([3]).

La muscolatura detta "liscia", che ritroviamo nella maggior parte degli organi interni, viene invece azionata in modo involontario dall'intervento del sistema nervoso autonomo (lo stesso accade al muscolo cardiaco, il miocardio, nonostante sia striato e ricordi, come aspetto, i muscoli scheletrici). Entrambi i sistemi muscolari sono influenzati, come tutte le funzioni organiche, dall'equilibrio ormonale e dalle abitudini di vita individuali.

Il movimento volontario origina da un impulso nervoso prodotto a livello di sistema nervoso centrale, nell'area motoria della corteccia cerebrale, a sua volta evocato da una stimolazione sensoriale (un rumore dietro le nostre spalle ci indurrà a girarci) o dalla volontà di iniziare una azione (ci alziamo dal letto per andare a lavorare). Alla precisione dell'atto motorio contribuisce il gioco raffinato di una serie di messaggi che, in un tempo così rapido da sfuggire alla nostra coscienza, vanno dalla periferia al cervello, per informarlo di come l'azione si sta compiendo (impulsi "afferenti") e dal cervello alla periferia (impulsi "efferenti"), per apportare correzioni al movimento o completare l'azione stessa. La ripetizione dei movimenti – specialmente, ma non solo, nell'età evolutiva – costruisce a livello cerebrale degli "schemi" di movimento che a loro volta si organizzano in "prassie" che il sistema neuromuscolare memorizza e, se integro, richiama in servizio quando occorre. La capacità di riprodurre automaticamente tali schemi motori può ridursi, fino a scomparire del tutto, nel corso del deterioramento mèntale.

Il buon funzionamento dell'apparato neuromuscolare dipende dal suo sviluppo nell'età evolutiva, in parte spontaneo, in parte frutto dell'intervento educativo, ma anche dallo stile di vita che la persona conduce per tutta la sua esistenza. Il movimento infatti, come dice Jean Le Boulch ([4]), è una funzione plastica e creativa che viene mortificata dalla vita sedentaria, magari accompagnata da un'alimentazione eccessiva, mentre può essere mantenuta per tutto l'arco della vita da un esercizio continuo, da un'attitudine costante

---

([3]) Fanno eccezione i movimenti riflessi nei quali la risposta motoria precede il riconoscimento da parte del cervello dello stimolo che li ha indotti.

([4]) LE BOULCH J., *Verso una scienza del movimento umano*, Roma, Armando, 1975.

ad una vita attiva (anche mentalmente, e socialmente) e dall'abitudine a percepire del movimento non solo la componente meccanica ma soprattutto la forza espressiva.

Ogni individuo ha la propria espressività motoria, visibile nelle gestualità, nel cammino ma anche nei gesti tecnici degli sport che ciascuno personalizza, pur nella ricerca dello schema più redditizio. Attraverso il movimento, comunque inteso, ognuno esprime se stesso, la propria cultura, le proprie emozioni, oltre alla propria funzionalità neuro-muscolare. Il movimento è uno dei linguaggi attraverso cui l'individuo può esprimersi. Per questo è così importante che anche nella difficoltà della malattia, grazie a stimoli sensoriali vari e aperti ad un'interpretazione creativa, si riesca ad aiutare la persona a mantenere, col movimento, la capacità di esprimersi e di stabilire una relazione positiva con l'ambiente.

6.2 Invecchiamento, sedentarietà ed attività motoria

La capacità di muoversi dipende dal normale funzionamento di tutto l'organismo: in particolare dell'apparato locomotore (ossa, articolazioni e muscoli), del sistema nervoso (cervello, nervi periferici) che controlla e regola i movimenti, degli organi di senso (in particolare la vista) e del sistema cardiorespiratorio (i polmoni assorbono dall'aria l'ossigeno; il cuore pompa il sangue nelle arterie, che distribuiscono ai muscoli l'ossigeno e le sostanze nutritive necessarie alla loro attività) (fig. 6.1).

Questi apparati subiscono con il passare degli anni alcune modificazioni:

– le ossa tendono a diventare più fragili, in particolare nelle donne, sono meno resistenti ai traumi e vanno incontro più facilmente a fratture;

– le articolazioni diventano più rigide e possono limitare l'ampiezza dei movimenti;

– si riducono il volume, la forza e la resistenza dei muscoli;

– la prontezza dei riflessi (che dipende dall'integrità del sistema nervoso) si riduce e per l'anziano può, ad esempio, essere più difficile recuperare l'equilibrio quando inciampa (aumenta il rischio di cadere);

– possono essere ridotte la vista e la sensibilità nelle gambe;

– l'apparato respiratorio e quello cardio-circolatorio consentono anche in età avanzata (se non sono presenti vere e proprie malattie) un normale apporto di ossigeno e sostanze nutritive ai muscoli per le attività ordinarie ma non sono in grado di sostenere sforzi eccessivi (una persona anziana non

Figura 6.1 - Organi e apparati interessati nella funzione motoria

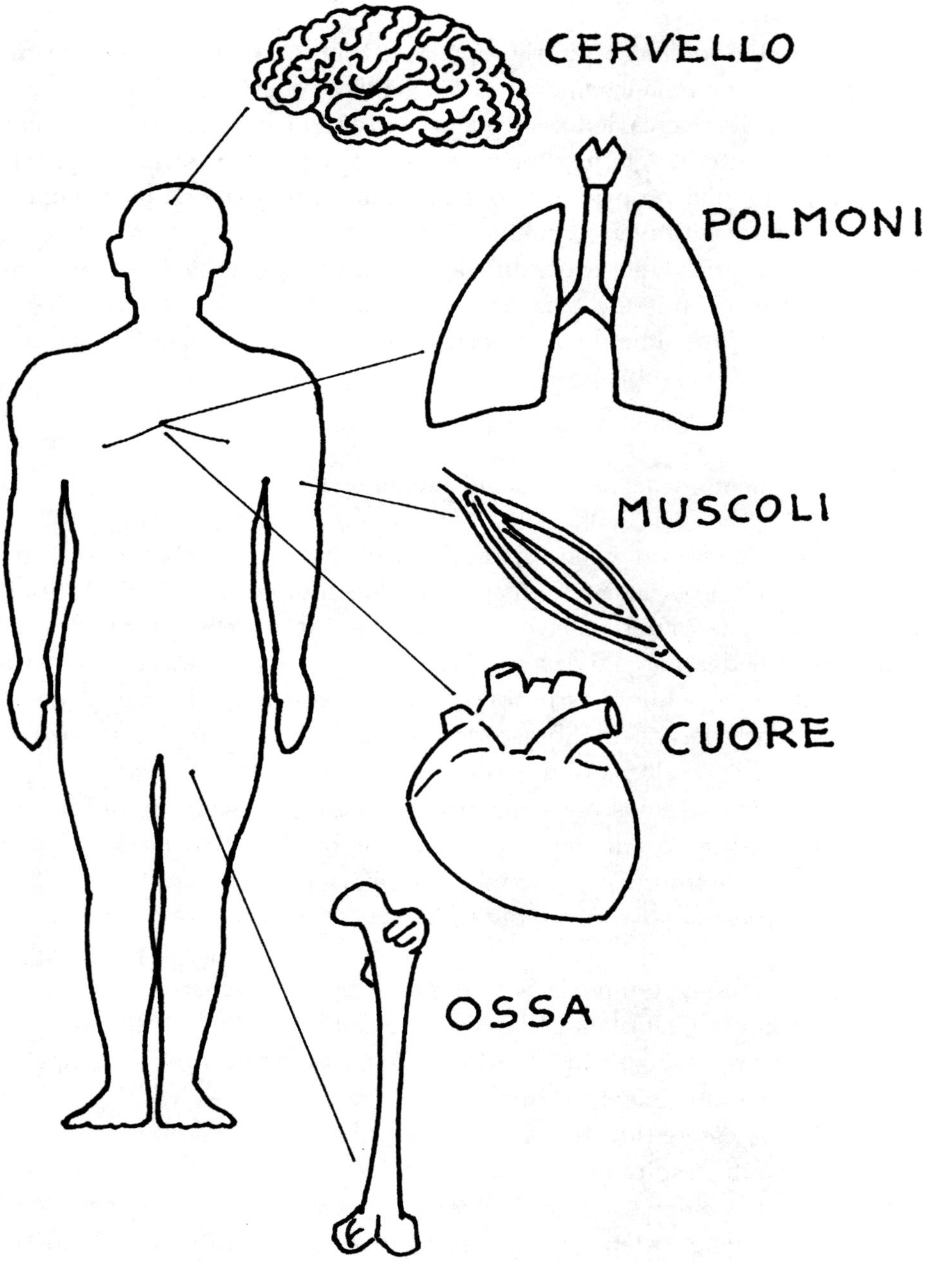

può, se non è molto allenata, salire le scale a passo rapido o "correre" per prendere l'autobus...).

Da sole però queste modificazioni non giustificano la tendenza di molti anziani alla vita sedentaria: giocano piuttosto un ruolo importante la scarsa abitudine al movimento che ne ha contrassegnato l'età adulta (talvolta, purtroppo, anche gli anni della giovinezza); poi viene a mancare l'obbligo di uscire per andare a lavorare, si è ridotta la cerchia degli amici, fuori casa ci si sposta solo in macchina o in pulmino, prevale la pigrizia; e poi c'è la televisione...

In realtà l'eccessiva sedentarietà non fa che peggiorare quelle difficoltà del movimento che sono legate all'età: i muscoli, non utilizzati, diventano ancora più deboli, le articolazioni più rigide, le ossa più fragili; se il cuore e i polmoni non si mantengono in allenamento ogni piccolo sforzo causa sempre più dispnea (cioè mancafiato) finché diventa difficile anche salire una rampa di scale o camminare reggendo la borsa della spesa. Ancora, l'inattività fisica rende più pigri, induce la persona a ridurre ulteriormente il proprio raggio d'azione, limita i contatti sociali, le occasioni di svago, favorisce la depressione.

Si instaurano così veri e propri circoli viziosi: meno ci si muove, più aumenta la difficoltà a muoversi, e si tende perciò a ridurre ulteriormente la propria attività (fig. 6.2).

Figura 6.2 - Come l'inattività genera altra inattività

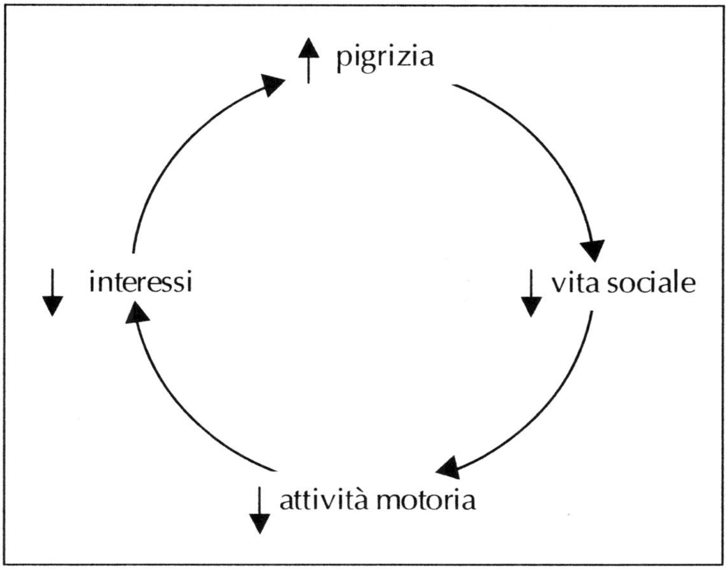

La riduzione dell'attività motoria, cui si dà il nome di ipocinesia, contribuisce pertanto ad accelerare le perdite funzionali legate al processo di invecchiamento: le persone sedentarie "invecchiano" 10 o 20 anni prima di chi si mantiene in movimento per tutta la vita.

Certo, l'ideale è la prevenzione: per invecchiare in buona salute e mantenere più a lungo le proprie capacità funzionali è necessario praticare un'attività motoria per tutta la vita. Ma non è mai troppo tardi: anche in persone anziane da anni disabituate a muoversi, come vedremo, sono stati dimostrati i benefici dell'attività fisica.

Un'attività motoria equilibrata e condotta con regolarità contrasta infatti le perdite funzionali indotte dal processo di invecchiamento.

Le capacità funzionali dell'*apparato respiratorio*, ad esempio, si riducono con l'età (in modo più marcato nelle persone sedentarie e nei fumatori) attraverso due meccanismi:

– la gabbia toracica, durante l'inspirazione, si espande di meno (riducendo il volume dell'aria respirata) per effetto della diminuita mobilità delle articolazioni tra le vertebre e le coste, dell'accentuazione della cifosi dorsale (gobba) e della riduzione della forza dei muscoli respiratori. In particolare la mobilità del diaframma (un ampio muscolo che divide il torace dall'addome e che è fondamentale per consentire una buona espansione della parti basse dei polmoni) può essere ridotta anche per effetto di uno scarso allenamento, per un'eccessiva magrezza o, al contrario, per la presenza di un pannicolo adiposo addominale troppo abbondante;

– la perdita di elasticità del tessuto polmonare comporta la riduzione dello scambio dei gas (l'ossigeno che passa dall'aria al sangue, l'anidride carbonica che, al contrario, passa dal sangue all'aria che espiriamo), con una conseguente ridotta ossigenazione del sangue a riposo e, ancor di più, durante l'attività fisica.

L'esercizio muscolare moderato, attraverso una maggiore richiesta di ossigeno, contrasta questi effetti negativi favorendo una maggior espansione della gabbia toracica soprattutto grazie al potenziamento ed al miglior utilizzo del muscolo diaframma.

L'esercizio prolungato nel tempo riesce inoltre a risvegliare nella persona anziana la coscienza del proprio respiro, abituandola ad utilizzarlo consapevolmente e in modo più efficace nelle attività di tutti i giorni: aiutandosi col respiro infatti può affrontare uno sforzo con minore fatica; allo stesso modo nei momenti di tensione e di ansia con respiri lenti e ritmati più facilmente ritrova la calma. Così il respiro diviene un amico a cui ricorrere in caso di bisogno, non una fonte di disagio ma un elemento positivo della propria corporeità, da assaporare a livello psicofisico ed emotivo.

L'*apparato cardiovascolare* ha uno stretto legame con il sistema respiratorio: il sangue pompato ad ogni battito (sistole) cardiaco si distribuisce ai polmoni, dove si arricchisce dell'ossigeno, indispensabile per il funzionamento dell'organismo, cedendo l'anidride carbonica, il nostro gas di scarico; torna poi al cuore e da qui viene nuovamente pompato in tutti i tessuti e gli organi del corpo. Con il passare degli anni l'efficienza della pompa cardiaca peggiora, le arterie (i vasi che trasportano il sangue dal cuore alla periferia) diventano più rigide, si riduce la rete dei capillari (i piccoli vasi che consentono un contatto ravvicinato tra il sangue ed i tessuti e perciò il passaggio dell'ossigeno dal primo ai secondi), le vene (i vasi che riportano il sangue dalla periferia al cuore) tendono a dilatarsi, favorendo un rallentamento della circolazione sanguigna. Alle modificazioni proprie dell'invecchiamento (fisiologiche) si sovrappongono poi le conseguenze delle malattie cardio-vascolari (dall'ipertensione all'infarto ai disturbi del ritmo cardiaco), tra le più diffuse in età senile.

Su queste modificazioni l'esercizio motorio costante ([5]) ha un effetto benefico: l'aumentata richiesta di ossigeno da parte dei muscoli comporta infatti una maggiore apertura della rete capillare in tutti i tessuti, la riduzione della pressione arteriosa ed un aumento del ritorno del sangue al cuore. Il muscolo cardiaco, più allenato, aumenta la sua forza di contrazione e pompa una maggiore quantità di sangue ad ogni sistole. Il movimento esercita poi un'influenza positiva su alcuni fattori (il tasso di colesterolo e di glucosio nel sangue; la tendenza di quest'ultimo a coagulare; ...) che sono responsabili della formazione di placche (ateromi) nelle arterie, placche che ostacolano il normale flusso sanguigno.

Un discorso analogo può essere fatto per la *funzione neuromuscolare*. Con l'età diminuiscono il volume e la forza di contrazione dei muscoli scheletrici, la loro resistenza allo sforzo e la loro elasticità. Si riduce anche, abbiamo visto, la prontezza dei riflessi e, più in generale, l'efficienza del controllo neurologico sul movimento. Ma l'influenza delle abitudini motorie su questa evoluzione è ancor più importante di quanto osservato fino ad ora: buona parte delle modificazioni che si verificano negli anziani è in realtà legata all'ecces-

---

([5]) Ci riferiamo ad un livello di lavoro moderato, che esclude nel modo più assoluto il livello massimale.

siva sedentarietà, mentre è ampiamente dimostrato che anche nell'età avanzata le fibre muscolari non solo mantengono ma possono aumentare il tono ed il volume a seguito di un costante esercizio fisico.

L'attivazione motoria, pur se graduale e costruita a partire da piccoli movimenti, produce un effetto sensibile sulla capacità motoria sia dei singoli distretti interessati dall'attività (mani, braccia, piedi, gambe, ecc.) che dell'apparato locomotore nella sua globalità. Fondamentale è poi l'effetto positivo non solo sulla trasmissione neuromuscolare a livello periferico ma soprattutto sul controllo del movimento attuato a livello cerebrale: la costante esecuzione di esercizi motori vari e motivati (come quelli proposti nel capitolo 7) restituisce fluidità al movimento, ne migliora la precisione e la coordinazione, favorisce il mantenimento dell'equilibrio riducendo così il rischio di cadute.

Nell'*apparato osteoarticolare* si osservano principalmente due ordini di modificazioni:

– la riduzione della massa ossea (soprattutto nelle donne), in virtù della quale si riduce la resistenza dell'osso, aumenta la sua fragilità e cresce il rischio di fratture anche per traumi non particolarmente violenti (a questa condizione dell'osso viene dato il nome di *osteoporosi*);

– la maggiore rigidità delle strutture articolari, che ne limita i movimenti e può essere causa di dolore (soprattutto se alle modificazioni senili si sovrappongono i danni, ben più significativi, dell'*artrosi*).

Mentre la sedentarietà aggrava entrambe le situazioni, il movimento contrasta la perdita della massa ossea, favorendo al contrario la sua mineralizzazione ([6]) e la sua resistenza ai traumi, e incrementa la mobilità in tutti i distretti articolari. La ripetizione di movimenti piccoli e grandi "lubrifica" le articolazioni restituendo loro una più ampia mobilità e diminuendo a volte sensibilmente i dolori anche in distretti interessati dall'artrosi.

Il miglioramento della mobilità articolare è forse il beneficio dell'attività motoria più facile da apprezzare nella quotidianità. Tutti i nostri movimenti sono infatti resi possibili dalla sequenza di tanti piccoli snodi articolari. Sollevare un braccio per prendere un oggetto, ad esempio, coinvolge le articolazioni della spalla, del gomito, del polso, della mano e delle singole dita: analogamente per l'arto inferiore salire o scendere un gradino interessa, oltre che l'equilibrio, le articolazioni del piede, della caviglia, del ginocchio e dell'an-

([6]) GIORGI TROLETTI G., IMERONI A., *La vecchiaia per sport*, Molfetta, La meridiana, 2004, pp. 38-39.

ca. Il potenziamento muscolare, l'aumentata mobilità articolare, la migliorata coordinazione dei movimenti, la maggior prontezza delle risposte, favoriti dalla costante attivazione motoria, agevolano pertanto l'esecuzione di tutte le attività quotidiane e favoriscono il mantenimento dell'autonomia e di una positiva vita di relazione.

I benefici dell'attività motoria si estendono a tutte le funzioni dell'organismo, da quella endocrina (aumenta l'utilizzo del glucosio da parte dei muscoli, con ridotto rischio di diabete) a quella gastro-enterica (il movimento facilita, ad esempio, le normali funzioni intestinali) (tab. 6.1). Vedremo in seguito come molte ricerche ne abbiano dimostrato un'influenza positiva sulle prestazioni cognitive, e una sia pur modesta riduzione del rischio di demenza.

Tabella 6.1

I benefici dell'attività motoria negli anziani	
Peso e composizione corporea	Favorisce la perdita di peso a carico del tessuto adiposo (la dieta da sola fa perdere anche tessuto muscolare insieme al grasso, portando ad una pericolosa riduzione di forza muscolare)
Osteoporosi	Migliora la densità minerale ossea
Equilibrio e cadute	Migliora l'equilibrio, soprattutto se il programma di esercizi comprende un allenamento specifico ed esercizi contro resistenza
Forza muscolare	Migliora la forza muscolare, anche in soggetti molto anziani e "fragili"
Dolori artrosici, mobilità e flessibilità articolare	Riduce il dolore e migliora le capacità funzionali
Benessere psicologico	Aumenta la sensazione di benessere e riduce il rischio di depressione
Malattie cardio-vascolari	• Riduce la pressione arteriosa • Riduce il peso corporeo • Aumenta il colesterolo HDL (con funzioni positive sulle arterie) • Riduce la tendenza del sangue a coagulare • Aumenta la forza contrattile del cuore • Migliora la capacità dei tessuti di utilizzare l'ossigeno • Riduce i disturbi circolatori negli arti inferiori
Diabete	Migliora l'utilizzo di glucosio e riduce l'incidenza del diabete "dell'età adulta"
Tumori	Riduce l'incidenza dei tumori del colon e della mammella
Malattie gastro-enteriche	Riduce il rischio di emorragie gastro-intestinali Riduce il rischio di malattie della colecisti
Autosufficienza	Previene la perdita dell'autonomia nelle attività quotidiane
Longevità	Riduce la mortalità da ogni causa

Qui vogliamo sottolineare ancora le sue ricadute sul *benessere psicologico* di chi invecchia.

L'inattività fisica condiziona infatti negativamente il tono dell'umore, riducendo progressivamente il raggio d'azione della persona, limitandone i contatti sociali e le occasioni di svago e favorendo la depressione e l'attenzione ipocondriaca ai messaggi negativi che il suo corpo, meno efficiente e magari ammalato, le invia.

L'esercizio fisico continuativo, al contrario, aumenta la sensazione di benessere, attraverso l'aumentata secrezione da parte dell'organismo di beta-endorfine (sostanze simili ai farmaci "oppioidi", dette anche ormoni della felicità), sicuramente attraverso il miglioramento della propria immagine corporea, l'aumento dell'autostima, la percezione di una maggior efficienza del proprio corpo ed un innalzamento del tono dell'umore (simile, secondo uno studio effettuato negli Stati Uniti su un gruppo di persone anziane depresse, a quello che si può ottenere con una terapia antidepressiva).

6.3 Quale attività motoria nell'anziano?

Abbiamo visto in queste pagine come l'ipocinesia, la rinuncia cioè ad una vita attiva, peggiori le conseguenze del processo di invecchiamento, mentre un'attività motoria equilibrata e costante sia in grado di rallentarne l'evoluzione.

Restano però alcune domande:

– se una vita attiva rappresenta un'importante misura preventiva, non è un po' tardi cominciare a "fare ginnastica" a 65 o 70 anni?

– più ancora, ha senso proporre programmi di esercizio fisico a persone già gravate da malattie croniche o da demenza o che, magari, hanno già perduto qualche livello di autonomia?

– e ancora, quale attività motoria garantisce i migliori benefici, senza esporre la persona anziana ad inutili rischi?

Rimandando al prossimo capitolo il tema del rapporto tra attività motoria e demenza, cercheremo di rispondere sinteticamente a queste domande.

In primo luogo: quando cominciare? La risposta è ovvia: i risultati migliori si osservano in persone che si sono mantenute attive per tutta la vita. L'età biologica degli atleti che si sono mantenuti in allenamento per tutta la vita può essere anche di 20 anni inferiore a quella dei coetanei non allenati.

Tuttavia, non è mai troppo tardi! Molti studi hanno dimostrato che anche in persone anziane in precedenza sedentarie un'attività motoria regolare riduce il rischio delle malattie cardiovascolari, rallenta la perdita dell'autosufficienza e migliora la sopravvivenza.

Analoghi risultati sono stati dimostrati anche in anziani affetti da malattie croniche. Secondo uno studio condotto in una Casa di riposo americana, un programma di esercizi eseguiti tre volte alla settimana per otto settimane ha migliorato in donne ultranovantenni la forza muscolare del 174% e la velocità del cammino del 48%! L'attività motoria, pertanto, pur non potendo ripristinare ciò che è stato danneggiato dalla senescenza o dalle malattie, esercita un certo grado di protezione contro le malattie stesse e, soprattutto, può significativamente migliorare la qualità della vita della persona potenziandone le funzioni residue.

Una vita attiva sembra infatti un antidoto importante alla precoce perdita dell'autosufficienza. Certo, nell'esperienza di vita di una persona il passaggio dall'autonomia alla disabilità può essere brusco, improvviso (si è parlato in questi casi di disabilità "catastrofica"), la diretta conseguenza di una malattia di per sé invalidante quale una frattura di femore o un ictus. Più spesso però nell'anziano questo passaggio è molto graduale, si instaura lentamente (disabilità "progressiva"), preceduto da una fase più o meno lunga durante la quale la persona riduce volontariamente le sue attività, perché esse comportano più fatica e richiedono un impegno e un tempo di esecuzione maggiori.

Molte ricerche hanno dimostrato che, a parità di età, il mantenimento di un'attività motoria riduce la perdita di capacità funzionali non solo in soggetti sani ma anche in anziani affetti da malattie croniche. Anche in persone che già mostrano difficoltà a compiere brevi tragitti in casa e ad alzarsi da una seggiola senza braccioli esercizi mirati hanno ridotto, a distanza di un anno, l'ulteriore declino funzionale rispetto a coetanei non trattati. Risultati simili sono stati ottenuti in anziani parzialmente autosufficienti ricoverati in casa di riposo.

Quale attività motoria, infine, dobbiamo praticare, per avere il massimo risultato con il minimo rischio? È un tema sul quale la discussione è ancora aperta. Molti studiosi ritengono infatti che i benefici maggiori si ottengano con più alti livelli di attività fisica; e molti degli studi che documentano l'efficacia del movimento sono stati condotti sottoponendo agli anziani programmi di esercizi di intensità elevata o moderata. In realtà si è visto che gli stessi benefici, a livello neuromuscolare e cardiovascolare, si possono conseguire camminando a passo veloce 30 minuti al giorno per 3-5 giorni alla settimana e che attività motorie "dolci" come il T'ai Chi sono in grado di migliorare la funzionalità cardiorespiratoria, di abbassare la pressione arteriosa alla stessa stregua di esercizi aerobici di moderata intensità e di migliorare l'equilibrio riducendo il rischio di cadute. Essenziali sono considerate la gradualità e la continuità dell'impegno: soprattutto se si ha alle spalle un lungo periodo di vita sedentaria, è necessario iniziare cauti ed aumentare gradualmente il carico di lavoro, per evitare che un impegno troppo brusco e gravoso sia causa di malessere (perché aumentano la pressione, la frequenza cardiaca e la frequenza respiratoria) e di un affaticamento eccessivo, tali da scoraggiare la prosecuzione dell'attività motoria. Altrettanto importante è mantenere nel tempo l'attitudine al movimento, facendola diventare parte integrante del nostro stile di vita. Nell'intervallo tra una "seduta" e l'altra, o quando non è disponibile un programma di attività motoria più strutturato, gli stessi risultati possono essere ottenuti con 30 minuti al giorno, anche non continuativi, di esercizi di moderata intensità, semplicemente modificando le abitudini di vita (camminare a passo svelto più volte al giorno; parcheggiare lontano dal luogo dove ci si deve recare; prendere le scale invece dell'ascensore;...).

All'attività svolta individualmente è sempre da preferire, a nostro avviso, l'attività motoria condotta in gruppo: perché la dimensione del gruppo, con la presenza di un istruttore preparato,

– aumenta le stimolazioni psicosensoriali e stimola il coordinamento motorio;

– sollecita la capacità di apprendimento;

– aumenta le occasioni e la capacità di comunicare con gli altri, sollecitando oltre ai linguaggi verbali l'utilizzo dei linguaggi non verbali (gestuali, ritmico-musicali, ecc.);

– favorisce la socializzazione, offrendo occasioni di rapporti sociali che proseguono anche al di fuori della palestra;

– sollecita la fantasia ed aumenta la dimensione ludica del movimento;

– aiuta a sdrammatizzare – nel confronto con gli altri – anche i problemi e le limitazioni causate dalla vecchiaia.

Per la partecipazione alle attività di gruppo, dal momento che le controindicazioni all'esercizio fisico negli anziani sono rare e che si possono ottenere risultati positivi anche con attività motoria moderata, è a nostro avviso sufficiente il parere del medico curante, e non è necessaria quella valutazione più approfondita delle capacità funzionali del singolo soggetto che consente di proporgli esercizi di intensità elevata. La chiave per garantire insieme efficacia e sicurezza sta piuttosto nella gradualità delle proposte motorie, nella preparazione degli istruttori e soprattutto nella partecipazione cosciente degli anziani, che devono essere sollecitati a percepire il lavoro dei loro muscoli ma anche ad individuare i primi segni di un affaticamento eccessivo (dispnea, capogiri, palpitazioni, ecc.). Bisogna soprattutto, con gli anziani, cogliere lo spirito di fondo dell'attività motoria, il suo obiettivo: non ci si muove per rispondere a modelli giovanilistici irraggiungibili, per competere con gli altri, per dimostrare a se stessi di "essere ancora in grado di ...", ma per stare bene con se stessi e con gli altri, per divertirsi, sapendo accettare diversi livelli di capacità motoria, senza paura di sfigurare nei confronti degli altri. Solo così è possibile, tra l'altro, accorgersi che il nostro corpo non è solo fonte di disagi, di sofferenze, di malattie, ma anche di gratificazioni e di piacere.

6.4 Attività motoria, funzioni cognitive e demenza

A partire dalla seconda metà del '900 numerosi importanti studi "longitudinali" (studi che seguono per anni, talvolta per decenni, migliaia e migliaia di persone) hanno cercato di capire quali stili di vita siano in grado di migliorare la salute e di prevenire o ritardare le malattie croniche, inclusa la demenza. Questi studi hanno dimostrato, ormai senza incertezze, l'influenza positiva dell'attività fisica sulle funzioni cognitive e sulla demenza.

Una prima serie di dati ha confermato gli effetti benefici dell'attività fisica sulle prestazioni mentali di persone anziane non dementi, soprattutto sulle funzioni cognitive più complesse (le cosiddette "funzioni esecutive", quelle che ci consentono di pianificare le nostre azioni, di controllare i nostri comportamenti, di affrontare contemporaneamente più compiti,...); i risultati più significativi si sono ottenuti con programmi motori che comprendono diversi tipi di attività motoria (aerobica, di flessibilità, di potenziamento muscolare).

Numerose sono anche le dimostrazioni che il mantenimento di un adeguato livello di attività fisica previene l'insorgenza della demenza:

– una ricerca, che ha seguito un vasto numero di persone dalla mezza età fino alla vecchiaia, ha evidenziato come coloro che si mantenevano attivi avessero meno probabilità di ammalare di demenza rispetto a chi seguiva una vita sedentaria;

– lo stesso risultato è stato ottenuto da una serie di studi condotti su persone anziane: nell'arco di pochi anni il rischio di ammalare di demenza è risultato inferiore per gli anziani attivi rispetto ai coetanei sedentari in una percentuale che varia, nelle diverse ricerche, tra il 20% ed il 50%;

– anche in persone anziane che all'inizio dello studio presentavano elevate prestazioni cognitive, una regolare attività motoria (condotta 3 o più volte alla settimana) ha ridotto il rischio di demenza, nell'arco di 6 anni, del

Figura 6.3 - Percentuale di anziani che, nei 6 anni dello studio, rimangono indenni dalla demenza (quelli che praticano attività motoria almeno 3 volte alla settimana, indicati con la riga continua, hanno meno probabilità di ammalarsi, a tutte le età, rispetto a coloro che si esercitano meno di 3 volte alla settimana) (da Larson E.B. *et al.*, Ann Intern Med 144: 73-81, 2006)

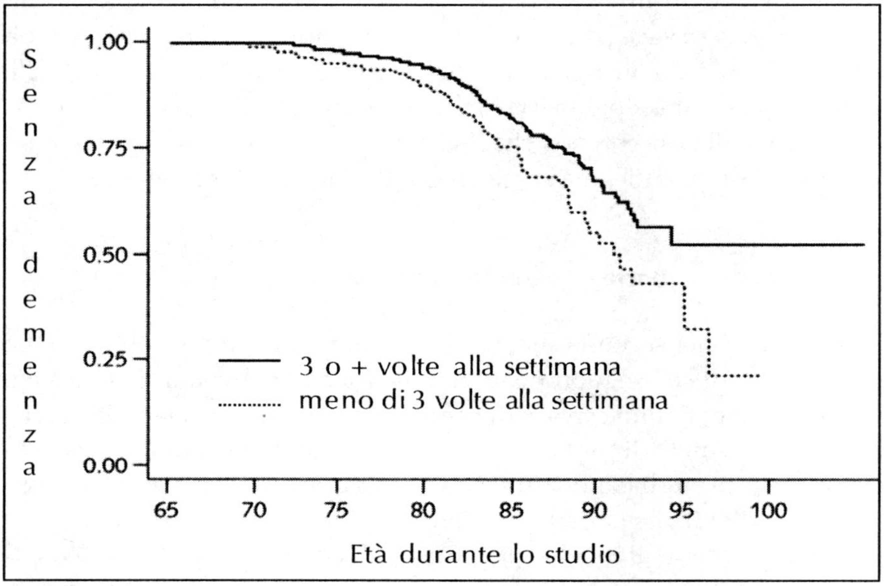

38%; osservazione importante: il beneficio maggiore si è osservato proprio nel gruppo di persone fisicamente più fragili all'inizio dello studio (fig. 6.3);

– in un grosso studio condotto ad Honolulu, uomini anziani che camminavano più di 3 chilometri al giorno avevano un rischio di demenza del 40% inferiore a coloro che percorrevano ogni giorno un tragitto più breve;

– un'altra importante ricerca ha dimostrato che, oltre alla quantità totale di esercizio fisico, è soprattutto la sua varietà a ridurre il rischio di demenza.

Altri riscontri infine segnalano l'influenza positiva dell'attività motoria su persone già affette da demenza. Osservazioni condotte su pazienti dementi che vivono al loro domicilio o in casa di riposo hanno dimostrato che l'attività fisica non solo migliora globalmente lo stato di salute ritardando la perdita dell'autonomia funzionale, ma è in grado di:

– rallentare il declino delle funzioni cognitive,

– contrastare la depressione,

– migliorare la quantità e la qualità del sonno,

– ridurre i disturbi comportamentali, in particolare l'agitazione e l'irrequietezza.

Per ottenere i risultati migliori, è opportuno che l'attività motoria sia ripetuta spesso durante la settimana, possibilmente tutti i giorni, e mantenuta nel tempo. Se disponibili, sono da preferire, soprattutto nelle fasi iniziali della demenza, le attività di gruppo, che offrono una maggiore varietà di stimoli e che sono in genere gradite ai partecipanti; altrettanto efficace è l'abitudine di camminare fuori casa, mezz'ora al giorno, a passo sostenuto: anche in questo caso la percezione della propria autonomia motoria e il contatto con la realtà esterna migliorano il tono dell'umore e riducono i disturbi comportamentali.

Camminare tutti i giorni con il proprio congiunto e partecipare ad attività di gruppo, può essere utile anche per i familiari dei malati: alcuni studi hanno dimostrato che tali abitudini, oltre a mantenere il benessere fisico, riducono lo stress e migliorano la qualità del sonno.

Come può l'attività motoria potenziare le funzioni cognitive e prevenire o ritardare la demenza? Ricerche condotte su animali da esperimento hanno dimostrato che l'attività motoria aumenta la produzione nel cervello di sostanze definite "neurotrofiche" ([7]), capaci cioè di stimolare la crescita dei neuroni e la formazione di nuove spine dendritiche (vedi al capitolo 1), soprattutto in alcune zone cerebrali coinvolte nel controllo della memoria; migliora inoltre la circolazione cerebrale e la comunicazione tra i diversi neuroni mediata da speciali sostanze dette "neurotrasmettitori"; sempre negli animali è stata dimostrata la riduzione dell'accumulo nei tessuti cerebrali di sostanze tossiche coinvolte nello sviluppo della demenza.

Anche nell'uomo si è visto che l'attività fisica, soprattutto se di tipo aerobico, aumenta la circolazione sanguigna a livello cerebrale, migliora l'attività di alcune aree cerebrali coinvolte nella sindrome demenziale e rallenta la riduzione del volume del cervello che accompagna l'invecchiamento ([8]). L'efficacia dell'attività motoria sulle funzioni cerebrali è anche mediata, indubbiamente, da un più globale miglioramento della funzione cardiorespiratoria e dalla riduzione dei fattori di rischio cardiovascolare (l'ipertensione arteriosa, il diabete, l'ipercolesterolemia), che aumentano la probabilità di ammalare di Alzheimer; ma anche dall'aumento dell'autostima e dalla riduzione dei

---

([7]) Una di queste sostanze, il fattore di crescita del nervo (*nerve growth factor*), è stata individuata dalla professoressa Rita Levi Montalcini, premio Nobel per la Medicina.

([8]) Le moderne metodiche radiologiche (la risonanza magnetica nucleare, RMN, e la tomografia ad emissione di positroni o PET) consentono di misurare accuratamente non solo il volume ma anche l'attività di alcune aree cerebrali coinvolte nella demenza.

sintomi depressivi (la depressione, abbiamo visto, può favorire il decadimento cognitivo).

Tutte queste ricerche – sia quelle condotte sugli animali che gli studi sull'uomo – sembrano confermare in sintesi che l'attività fisica è in grado di moderare alcuni effetti indesiderati che l'età esercita sia sulle funzioni cognitive che sulla struttura e sul funzionamento del cervello. Dimostrano inoltre che il cervello mantiene la sua plasticità, sia pure ridotta rispetto all'organismo giovane, anche nell'età più avanzata: indicando nel mantenimento di una vita attiva (fisicamente, ma anche mentalmente) una reale possibilità di prevenire la perdita della memoria e delle altre funzioni cognitive.

6.5 L'attività motoria con gli anziani in Italia

Fino a non molti decenni fa gli individui anziani (allora erano considerate tali le persone dai sessant'anni in avanti) non avevano un posto ufficiale nella motricità organizzata in Italia, mentre in altri Paesi europei la "ginnastica per la terza età" veniva normalmente praticata da più anni. A parte un ristretto numero di individui "speciali", che continuavano a praticare sport amatoriali, l'unica attività motoria riconosciuta per gli anziani era quella riabilitativa, da praticare in situazioni e strutture specifiche.

Bisogna risalire alla fine degli anni '70 per trovare nella pratica e nella letteratura del nostro Paese i primi cenni ad un'attività motoria non sportiva per gli anziani, organizzata per fini non riabilitativi ma di attivazione e mantenimento e proposta non nell'ambito di presidi sanitari (come le palestre di riabilitazione) ma in palestre normali. Le prime iniziative sviluppatesi in Italia furono accolte con diffidenza dalle istituzioni, dagli operatori del settore ed a volte perfino dagli interessati e dai loro familiari. Tutti temevano che l'attività, non sufficientemente controllata, potesse rappresentare un rischio e causare conseguenze negative. Anche tra i medici all'inizio prevalevano le perplessità e il timore che tale attività potesse provocare traumi per cadute, affaticamento, problemi cardiaci; in alcune realtà si riteneva necessario sottoporre gli anziani, prima di iniziare l'attività motoria, alle prove da sforzo; in altre situazioni addirittura i corsi si tenevano solo alla presenza di un medico!

Ben presto però la maggioranza dei medici imparò ad apprezzare l'iniziativa, anche perché, nel frattempo, furono resi noti i risultati delle prime ricerche condotte in varie sedi universitarie e da qualche Asl e la Geriatria, fortemente interessata a queste proposte, chiarì la differenza tra le attività motorie a carattere preventivo e le vere e proprie attività sportive rivolte a persone adulte ed anziane: mentre l'accesso a queste ultime richiedeva una valutazione approfondita ad opera della medicina sportiva, per la partecipazione ai corsi della "ginnastica per anziani" era sufficiente la certificazione dei medici di medicina generale.

Allo stesso modo anche le istituzioni (i comuni, le Asl), sotto la spinta delle associazioni sportive ([9]) e grazie alla risposta addirittura prorompente degli anziani, cambiarono progressivamente atteggiamento, sostenendo l'organizzazione delle attività, mettendo a disposizione le strutture, talvolta contribuendo economicamente o assumendo la paternità diretta dell'iniziativa.

Nel giro di pochi anni l'esistenza della "Ginnastica per gli anziani" divenne un fatto accettato e sollecitato da tutte le categorie interessate. La risposta fu prevalentemente femminile (i dati rilevati in vari periodi riferiscono una percentuale di donne di circa l'85%): più degli uomini infatti le donne, casalinghe o ex lavoratrici, videro nella partecipazione a queste attività la possibilità di esprimere se stesse, di socializzare, di riscoprire il proprio corpo come fonte di benessere.

L'ultimo ventennio del '900 fu il periodo delle ricerche e delle pubblicazioni a carattere medico-sociale e tecnico ([10]). Occorreva dimostrare che una pratica del genere non è nociva né rischiosa a condizione che venga fatta "a misura" di chi la pratica ([11]), con obiettivi non competitivi ma solo di benessere e con valenza relazionale. Da alcune ricerche condotte anche da chi scrive ([12]) emerse chiaro che anche un'attività blanda ma regolare era in grado di modificare positivamente i parametri delle funzioni interessate. Così si registravano miglioramenti nella circolazione, nella respirazione divenuta più facile e più ampia. Si attenuavano molti sintomi delle malattie osteoarticolari: muoversi, camminare risultava più facile, si riducevano i dolori articolari, calava il ricorso ai farmaci antiinfiammatori. Indagini strumentali rivelarono

---

([9]) In particolare dell'Unione italiana sport per tutti – Uisp – che fin dall'inizio è stata in prima linea nell'organizzazione dei corsi, nella ricerca, nella formazione, nella promozione della valenza associativa dell'esperienza motoria, contribuendo in modo determinante alla diffusione nel nostro Paese della pratica motoria degli anziani.

([10]) Vedi la bibliografia alla fine del volume.

([11]) Nei corsi in palestra quasi sempre si trovavano persone di ambo i sessi in età da meno di 60 anni a oltre 80-85 e più.

([12]) Giorgi Troletti G., Imeroni A., *op. cit.*, capitolo 2.

che l'attività motoria regolare induce l'aumento del colesterolo HDL (comunemente detto "colesterolo buono") e della densità ossea. Si registrò perfino la diminuzione dell'assunzione di ansiolitici, sia di giorno che di notte: sentirsi più vitali, ritrovarsi a compiere attività piacevoli in compagnia di altri, in un clima sereno e accattivante, esprimere se stessi con il proprio corpo, tutto questo riduceva l'ansia, innalzava il tono dell'umore, migliorava l'immagine di sé, accresceva l'autostima. Vennero anche indagate – su un campione di oltre 5.000 partecipanti ai corsi – le motivazioni che portavano gli anziani in palestra: le più importanti, nell'ordine, erano "stare meglio in salute", "fare del movimento" e "incontrare altre persone".

Il criterio guida di questa attività condotta con gli anziani, adeguare la proposta motoria alle diverse capacità funzionali dei partecipanti, ha nel frattempo reso possibile la diffusione dei corsi anche fra gli strati di popolazione che pur avendo fatto lavori pesanti erano sempre stati lontani da una cultura del corpo e da una attività motoria organizzata. In alcune realtà si è riuscito ben presto ad estendere l'esperienza alle strutture residenziali per gli anziani, coinvolgendo persone non autosufficienti e affette da deterioramento mentale. Fondamentale si è dimostrata – e lo è tuttora – per lo sviluppo dell'attività motoria la formazione degli operatori del settore che devono conoscere significato e limiti della motricità con individui anziani in diverse condizioni di equilibrio psicofisico ([13]) e devono saper contenere l'intensità e le difficoltà degli esercizi (l'attività troppo faticosa difficilmente risulta piacevole), valorizzandone al contrario gli aspetti ludici e relazionali.

Oggi, dopo una trentina d'anni, l'attività motoria per anziani nel nostro Paese è diffusa in tutte le regioni, viene praticata in diversi ambiti (a domicilio, nei Centri diurni, nelle Residenze) e si è arricchita di molteplici proposte: ginnastica, ginnastica dolce, yoga, T'ai Chi, acquaticità, fino alla pratica di attività amatoriali quali l'escursionismo o il cicloturismo. Gli anziani che frequentano i vari corsi appartengono anche oggi ad un'ampia fascia di età, che va dai 60 anni fino ad oltre gli 85. I più vecchi hanno spesso alle spalle anni di attività "preventiva", mentre i "più giovani" si avvicinano ai corsi con un atteggiamento molto più libero e consapevole di quello che aveva chi li ha preceduti oltre vent'anni fa: per molti di loro la pratica motoria è già iniziata nell'età adulta.

In parallelo con la diffusione dell'attivazione motoria degli anziani si è

([13]) IMERONI A., *Attività motoria nella grande età*, Roma, Carocci, 2002.

infatti verificata, in questi ultimi decenni, una crescita della cultura della motricità e la progressiva diffusione dell'attività fisica – sportiva, amatoriale, di mantenimento – nella popolazione giovane ed adulta. A questa crescita dell'interesse per l'attività motoria crediamo abbia contribuito anche l'*esempio* degli "anziani in movimento", i quali hanno dimostrato che è possibile vivere l'attività motoria, a tutte le età ed in tutte le condizioni, come benessere, come divertimento, come liberazione di sé, senza rincorrere falsi obiettivi di competitività, di agonismo, di esasperata ricerca della forma fisica.

7. L'attività motoria con le persone dementi

7.1 L'attivazione psicomotoria in gruppo

L'impiego dell'attività motoria non strettamente riabilitativa con gli anziani disabili risale, come abbiamo visto nel precedente capitolo, alla fine degli anni '70 del secolo scorso, quando la pratica dell'attività motoria, proposta inizialmente a persone in buona salute, fu estesa con un processo evolutivo abbastanza rapido a tutte le categorie di anziani.

Da qualche anno poi è diffuso il concetto di "Attività fisica adattata" (Afa): si tratta di programmi di esercizi specifici rivolti a gruppi di persone portatrici di problematiche sanitarie (mal di schiena, esiti stabilizzati di ictus, morbo di Parkinson e altro) condotte da insegnanti di ginnastica (e non da fisioterapisti) con la consulenza di personale medico. Programmi ormai diffusi anche nell'ambito delle istituzioni universitarie che hanno sostituito i vecchi Isef ([1]), nelle quali si sta sempre più facendo strada la consapevolezza dell'importanza che riveste la pratica dell'attività motoria "a misura di chi la esegue" e della necessità della sua diffusione tra le persone, anziane e non, in difficoltà.

Negli anni '80 erano peraltro già nate le prime sperimentazioni con persone cognitivamente compromesse, nelle quali l'intervento, basato sulla stimolazione psicosensoriale e sulla sollecitazione delle facoltà cognitive, era fortemente orientato in senso psicomotorio.

Le prossime pagine presentano alcune proposte di lavoro di attivazione psicomotoria rivolta a gruppi di persone affette da demenza ad uno stadio della malattia lieve-moderato, che possono essere realizzate nell'ambito di strutture diurne e residenziali.

([1]) Con diverse forme organizzative sono presenti nelle varie città come Facoltà di scienze motorie, Scuole interfacoltà o corsi di laurea presso le Facoltà di medicina o scienze dell'educazione.

Prima di illustrarne le modalità, è utile peraltro soffermarsi preliminarmente su alcuni aspetti specifici che riguardano tanto i singoli partecipanti, con le problematiche cognitive e comportamentali proprie della malattia e con la loro "storia" motoria, quanto le dinamiche del gruppo nel quale essi vengono inseriti.

È importante innanzitutto, nell'accostarsi a questa particolare tipologia di utenti, ricordare che ognuno di loro presenta un complesso di deficit cognitivi, di problemi neurologici e sensoriali, di disturbi della comunicazione non solo differenti da individuo ad individuo ma altamente variabili nel corso del tempo, spesso da un giorno all'altro, che influiscono pesantemente sulla sua capacità di ascolto e di comprensione dei messaggi esterni e sulla sua possibilità di recepire gli stimoli offerti e di formulare le risposte. Anche le condizioni fisiche dei partecipanti possono condizionare la scelta delle attività: gli esercizi condotti a terra (in posizione supina o laterale) non sono alla portata di tutti, per problematiche di ordine articolare o muscolare o per mancanza di un'abitudine precedente. Nella situazione di gruppo infine entrano in gioco altre variabili, legate al tono dell'umore, ai rapporti dei pazienti tra di loro, ma anche alla loro relazione con il conduttore e con gli operatori della struttura (che, preferibilmente, partecipano all'attività del piccolo gruppo coadiuvando il conduttore). Diventa pertanto difficile individuare proposte comprensibili e realizzabili da tutti e imperativa la massima flessibilità da parte del conduttore nell'adattare il programma alle condizioni del gruppo.

D'altra parte l'esperienza e gli studi effettuati sul comportamento di anziani anche non autosufficienti e affetti da deterioramento cognitivo di vario grado hanno dimostrato che l'attività psicomotoria condotta in gruppo ha rilevanti possibilità di riuscita, soprattutto se le persone sono disposte in circolo, perché vengono favorite la comprensione e l'esecuzione della proposta motoria, sia pure con tempi diversi tra i partecipanti ma proprio grazie allo stimolo che chi riesce per primo a cogliere la sollecitazione esercita sugli altri.

La disposizione circolare ha il vantaggio di porre tutti i componenti in situazione reciproca simile ([2]). Inoltre si presta a soluzioni strategiche, favorite dal conduttore e dagli operatori di sostegno, che possono orientare la sistemazione dei presenti, in modo da evitare il formarsi di tensioni tra persone

---

([2]) La disposizione "a gruppo" ha un suo fondamento pedagogico: infatti già alla fine degli anni '80 del secolo scorso veniva adottata nelle classi scolastiche di ogni grado.

che non gradiscono il contatto diretto. Altre forme di attività non individuali, ad esempio i cori e la musicoterapia, utilizzano con successo la disposizione a gruppo, in circolo o in semicerchio. L'esperienza insegna che, con questo metodo, man mano l'attività progredisce il gruppo compie una sorta di evoluzione nei rapporti reciproci che contribuisce alla validità del risultato collettivo. Questo vale anche per gruppi di persone in situazione di difficoltà come i malati di demenza.

Nei pazienti cognitivamente compromessi l'esercizio fisico basato sulle tecniche di attivazione psicomotoria attua una stimolazione più ampia e completa coinvolgendo contemporaneamente le funzioni sensoriali, le capacità cognitive, grazie alle quali la persona deve comprendere le proposte e programmare le risposte motorie e le prestazioni neuromuscolari. Questa sollecitazione globale può contrastare nel soggetto il degrado indotto dalla malattia consentendogli di mantenere più a lungo la sua capacità di svolgere autonomamente le attività quotidiane e di rispondere a richieste di prestazioni non usuali (quali, ad esempio, quelle proposte dalla stessa attivazione psicomotoria).

L'impegno fisico richiesto dagli "esercizi" che in seguito verranno illustrati potrà sembrare piuttosto limitato: in realtà il potenziamento neuromuscolare non è l'obiettivo primario di questi corsi, ma rappresenta piuttosto la conseguenza della più ampia stimolazione psicomotoria che porterà ogni partecipante a realizzare i movimenti proposti secondo le proprie possibilità, con ampiezza di esecuzione e dispendio energetico anche molto diversi da soggetto a soggetto.

7.2 Le caratteristiche proprie della malattia: cosa vediamo nei pazienti

Nella prima parte di questo volume si è accennato alla complessità dei sintomi che caratterizzano la storia naturale della demenza. Tutte le alterazioni – cognitive, neurologiche, sensoriali, motorie, affettive e comportamentali – che sono state descritte potranno in diversa misura influenzare l'atteggiamento della persona nei confronti della proposta motoria e la sua partecipazione al gruppo.

Sul piano della motricità, oltre alla maggiore o minore consuetudine con l'attività fisica che ha caratterizzato tutta la sua esistenza, la persona demente potrà presentare comportamenti molto diversi, fra cui i più frequenti sono l'irrequietezza, che si concretizza in una deambulazione quasi continua e immotivata (vagabondaggio o "wandering") e, sul versante opposto, un atteggiamento apatico che si accompagna al mantenimento prolungato di una posizione immobile, nella quale il paziente appare chiuso in se stesso anche fisicamente (a braccia conserte, col busto e il capo lievemente flessi in avanti, con un'espressione indifferente o assente), spesso condizionato anche da difficoltà nel rapporto con l'ambiente quali l'afasia, l'aprassia o l'agnosia.

I problemi che i partecipanti al gruppo di ginnastica potranno presentare, e di cui il conduttore dovrà tener conto, sono comunque molteplici:

– difficoltà di comprensione, persistente o saltuaria;

– difficoltà a mantenere a lungo l'attenzione e la concentrazione;

– insufficiente capacità di orientarsi nello spazio, sia durante i movimenti che in situazione statica (difficoltà ad individuare correttamente la destra e la sinistra, la direzione in avanti o indietro);

– deficit della memoria recente, con incapacità a memorizzare parole e fatti anche di recentissima acquisizione;

– difficoltà, nonostante la memoria remota possa tenere più a lungo, a ricordare utilmente immagini e schemi motori acquisiti in passato (che emergono talvolta solo in forma episodica);

– difficoltà e talvolta rifiuto (palese o non manifesto) a comprendere e a trasmettere gli stimoli comunicativi;

– insofferenza verso la situazione in atto e/o verso altri pazienti con la tendenza ad allontanarsi dal gruppo o ad estraniarsi dall'azione;

– tendenza all'indifferenza verso l'ambiente;

– limitazione della mobilità articolare e difficoltà motorie in genere (con caratteristiche particolari nei pazienti *wandering*);

– difficoltà a recepire gli stimoli sensoriali (uditivi, visivi, tattili);

– difficoltà a realizzare le proposte motorie, a riprodurre ciò che fanno gli altri, a coordinare anche al minimo i movimenti, ad orientarsi sull'uso degli attrezzi/oggetti a livello individuale o interattivo con gli altri componenti il gruppo.

Queste e altre limitazioni si possono trovare, come già detto, in modo casuale e disomogeneo nei vari pazienti secondo il livello della malattia e le sue manifestazioni cliniche. Ovviamente la presenza contemporanea di tutti i deficit sopra riportati rappresenta un ostacolo pressoché insormontabile alla partecipazione del malato all'attività.

Al conduttore si richiede pertanto molta attenzione e competenza nella scelta e nell'impiego degli stimoli da utilizzare per riuscire a fare un intervento utile, che appare senz'altro difficile, ma realizzabile.

7.3 Indicazioni pratiche per l'intervento

Un gruppo può comprendere da 4 a 8 pazienti, secondo la gravità della loro condizione, e almeno due operatori (uno ogni 4-5 malati) che coadiuvano il conduttore rafforzando la stimolazione con la loro partecipazione attiva.

Alcuni suggerimenti possono migliorare l'intervento:

✓ *valutazione accurata della situazione* (saranno necessari più incontri), per meglio conoscere le condizioni:

– dei singoli

– del gruppo

– dell'ambiente in cui ci si trova (così da utilizzarlo al meglio);

✓ *approccio pedagogico* (da estendere agli assistenti in modo che il criterio di intervento sia omogeneo), vale a dire non "far fare" ma "stimolare a fare", ripetendo gli stimoli e gli inviti, ma senza sostituirsi al paziente nell'azione:

– partire dalle condizioni osservate per tendere ad un miglioramento su più fronti

– moltiplicare le occasioni di successo da sottolineare ma senza enfasi

– non insistere sulle proposte di difficile realizzazione

– non temere di ripetere le stesse proposte per permettere un eventuale possibile apprendimento

– cogliere le interpretazioni personali e valorizzarle, se possibile, estendendole a tutti;

✓ *modalità relazionali*:

– non invasive, progressive e rispettose della situazione del paziente

– mediate dagli attrezzi/oggetti che si utilizzano

– mediate dalle stesse proposte motorie (tenersi per mano, consegnarsi oggetti piccoli, scambiarsi palline, ecc.)

– rapporto tra il conduttore e il gruppo (il conduttore lancia e riceve la palla dai singoli in circolo, ecc.)

– comunicazione "circolare" nel gruppo (l'attrezzo passa dall'uno all'altro, in sequenza)

– comunicazione "di coppia": lancio, scambio frontale di attrezzi

– rapporto in gruppo: scambio di attrezzi fra i componenti che si muovono liberamente;

✓ *approccio didattico*:

– usare proposte molto semplici e fattibili da tutti che possono essere ripetute nel tempo e ampliate nel livello

– favorire l'imitazione esemplificando e compiendo le azioni motorie insieme ai pazienti (conduttore e assistenti)

– ripetere le consegne, ricordare gli scambi, sollecitare blandamente le persone per permettere l'esecuzione collettiva

– favorire la verbalizzazione iniziando dalle situazioni in atto.

7.4 Cosa osservare nella risposta dei pazienti

In un intervento di attivazione psicomotoria è fondamentale favorire l'autonomia delle risposte motorie, ancor più che la loro precisione. Nella risposta autonoma sono impliciti la comprensione (che è sempre un atto cognitivo) dello stimolo, diretta o per imitazione, l'utilizzo del vissuto motorio e la capacità di realizzarlo.

Osservando attentamente il comportamento dei pazienti si può innanzitutto riuscire a capire quanto l'individuo sia in grado di recepire in rapporto alle sue condizioni cognitive ed alla sua disponibilità e se egli stia rifiutando quel tipo di stimolo, o qualsiasi stimolo gli venga proposto.

Dal punto di vista più strettamente motorio si può osservare come il singolo individuo sia in grado di:

✓ *seguire quanto gli si presenta e con quale attenzione*

✓ *comprendere effettivamente le consegne*:

- sempre
- saltuariamente
- quasi mai o mai

✓ *gestire il rapporto con lo spazio*:

- in condizioni statiche (sul posto): avanti, indietro, laterale
- in condizioni dinamiche (scegliere la direzione secondo la situazione nella consegna): avanti, indietro, di lato, circolare

✓ *memorizzare semplici azioni ripetute più volte*

✓ *identificare gli oggetti, gli attrezzi*, ecc.

✓ *riconoscere e usare i colori secondo le consegne*

✓ *rapportarsi con i presenti*

✓ *adottare soluzioni per realizzare le consegne*:

- con passaggi personali
- semplificando l'azione relativamente a direzioni inconsuete (indietro, laterale)
- relativamente a proposte che includono il cambio di postura

✓ *realizzare i movimenti con sufficiente*:
- precisione
- coordinazione
- mobilità/ampiezza

✓ *maneggiare gli attrezzi/oggetti* (scambi, lanci, individualmente, in coppia, in gruppo):
- con sufficiente abilità
- con incertezza
- con gran difficoltà

✓ *camminare avanti o indietro*:
- con scioltezza
- con insicurezza del passo e dell'equilibrio
- con varie difficoltà

✓ *seguire o meno progressioni di numeri* (4 x 4, 8 x 8, ..., con la musica):
- possibile o no

✓ *rapporto col terreno*:
- non possibile per difficoltà motorie
- non possibile per difficoltà psichiche
- parziale per cause varie
- discreto

✓ *seguire con movimenti ritmo/tempo della musica*:
- possibile o no

✓ *utilizzare la propria memoria motoria in modo appropriato*:
- evidente o no

✓ *realizzare la risposta allo stimolo in tempi*:
- normali
- lunghi
- lunghissimi

✓ *stabilire una relazione con il conduttore e gli assistenti*:
- buona
- difficile

✓ *stabilire rapporti con gli altri pazienti*
- difficili per insofferenza
- difficili per somma di difficoltà personali e/o reciproche.

7.5 Elementi utilizzabili per l'attività

L'attivazione psicomotoria con ammalati di demenza, grazie alla valorizzazione delle loro attitudini comunicative e relazionali ed alla stimolazione sensoriale, mira a sollecitare in loro le prestazioni cognitive, a migliorarne l'orientamento spazio-temporale, ad influenzare positivamente la loro dimensione emotiva ed il benessere complessivo.

Contemporaneamente l'esecuzione di attività motoria promuove il potenziamento della mobilità articolare, del tono muscolare, della coordinazione, dell'equilibrio, della prontezza delle risposte, con il conseguente miglioramento tanto dello stato di salute quanto dell'autonomia della persona (vedi capitolo 6).

Abbiamo già accennato alla *valenza relazionale* del gruppo, della disposizione in circolo dei partecipanti, della possibilità di contatti tra le persone, dirette o mediate dallo scambio di oggetti; il conduttore avrà cura di arricchire lo scambio relazionale attraverso varie modalità di comunicazione e interazione, con l'aiuto nell'esecuzione degli esercizi, la verbalizzazione, l'uso dei nomi propri in forma ludica.

La *musica* in questo contesto ha funzione plurivalente: il ballo, alcune facili danze folcloristiche dalla coreografia semplificata, possono agevolare la relazione, offrendo al tempo stesso un incentivo ed una guida all'attività motoria; l'ascolto della musica può sollecitare la memoria remota e più recente e rappresentare inoltre uno stimolo psicoemotivo rilevante. È consigliabile usare ritmi vivaci alternati ad altri più lenti.

Strumento costante per l'attivazione è la *stimolazione sensoriale* visiva, uditiva, tattile, spesso utilizzate in modo sinergico. L'impiego di attrezzi/oggetti di forma, colore, peso, consistenza diversi, l'uso proprio o improprio che se ne può fare, fornisce al tempo stesso un'importante stimolazione visiva e tattile e rafforza con altri elementi la sollecitazione cognitiva.

Lo stesso vale per gli stimoli uditivi: voce che chiama, musica, tamburello o altri strumenti presi a prestito dalla musicoterapia; come stimoli tattili, oltre alla manipolazione degli attrezzi, il muro, il corpo dei compagni, il terreno, il tocco di palle di consistenza diversificata.

Molto importante è la stimolazione tattile: il *contatto* che la persona, con ogni parte del suo corpo, può stabilire con la realtà circostante (oggetti, pareti, pavimento, persone, ...) le restituisce sensazioni molto diversificate, talvolta inconsuete. Come quelle trasmesse dal contatto della pianta dei piedi col terreno, con le mani (automassaggio), con gli altri, con gli attrezzi (può essere utile cercare di eseguire almeno una parte dell'incontro a piedi scalzi – anche sfilare ed infilare le scarpe può essere un esercizio importante – prevedendo anche qualche spostamento su una moquette o su altro materiale non scivoloso).

Tra gli attrezzi che si utilizzano la palla (o meglio tanti tipi di palle) rappresenta il più utile e versatile per varietà di impiego, per la possibilità di utilizzarla in svariate attività motorie, in abbinamento ad altri attrezzi (lanci in un cesto, abbattimento di birilli, palleggi a rimbalzo con entrata in un cerchio, oltre agli abbinamenti per colore con cerchi, cerchietti, molle di plastica, foulard).

Ancora il colore e il peso della palla suggeriscono svariate modalità di impiego: ad esempio palla rossa più pesante, o palla volley bianca, o palloncino a fiato, o palla di spugna di varie dimensioni, ciascuna con un'azione specifica propria, da ripetere e mantenere nel tempo, favorendo così qualche possibilità di memorizzazione.

Molte situazioni, in particolare con la palla, spesso riescono a richiamare la memoria motoria dei soggetti che non sempre è totalmente perduta ma può riemergere a tratti, spesso in maniera imprevista.

Possono essere usati altri oggetti (si privilegiano sempre oggetti relativamente "leggeri" per operare in condizioni di sicurezza rispetto ad eventuali episodi improvvisi di aggressività) come cuscini ad aria, piccoli salvagente, birilli grandi di plastica (vuoti), nastri di carta crespa, foulard, elastici, funicella lunga unica utilizzabile in gruppo, oggetti che producono suoni.

La relazione fra le persone, l'ascolto e la piacevolezza della musica, l'impronta ludica di certe attività specialmente con le palle, possono costituire stimoli emozionali molto preziosi per tutti, in particolare per quegli individui che la malattia spinge verso l'indifferenza.

Non meno importante è l'attenzione a proposte di orientamento spaziale che consistono in varie modalità di spostamento nel locale, libere o guidate, in fila, in circolo, a gruppo, di cui un esempio già citato sono semplificazioni coreografiche di danze folcloristiche; inoltre spostamenti di persone e attrezzi con riferimenti reciproci, anche con cambi di postura; variazioni di situazioni: individuali, in coppia, in gruppo.

Risulta difficoltoso portare l'attenzione dei partecipanti sulla respirazione e sul suo utilizzo col movimento. Ciò non significa rinunciare a priori: è importante almeno provare a stimolare momenti di percezione dell'espirazione, magari accompagnando gli esercizi con l'emissione della voce o con il canto.

7.6 Proposte da attività sperimentata

Data la variabilità e la complessità delle singole situazioni non è possibile presentare dei programmi di lavoro precisi: in questo paragrafo ci limiteremo ad esporre alcune indicazioni generali e a suggerire proposte pratiche, fattibili e sperimentate con gruppi di persone dementi, che il conduttore potrà adattare alla realtà in cui opera.

Gli esercizi suggeriti saranno raggruppati – a scopo didascalico – in rapporto ad un obiettivo principale, anche se è molto difficile fare delle proposte improntate ad un solo tipo di stimolo, perché ogni azione motoria porta con sé diverse modalità di sollecitazione.

Il coinvolgimento della vista, ad esempio, sia pure a livelli diversi, è presente in tutte le attività motorie (fanno eccezione gli esercizi compiuti ad occhi chiusi, che però non si utilizzano in questo contesto); lo stesso vale per l'udito (la voce che invita, che guida, che aiuta, o un segnale o un brano musicale) o per il tatto (il maneggio di attrezzi, il contatto con le altre persone); la stimolazione cognitiva è implicita nella comprensione di qualsiasi realizzazione anche semplice, come pure la sollecitazione del senso di orientamento o dell'equilibrio.

Si è già accennato all'importanza strategica della disposizione dei presenti in coppia o in circolo; certamente conduttore e assistenti cercheranno una localizzazione che serva sia ad attenuare eventuali attriti fra i pazienti, sia ad aiutare quelli più in difficoltà rafforzando gli stimoli (e permettendo le risposte) con iterazione personalizzata delle consegne.

La tipologia dei pazienti orienterà le modalità di svolgimento della seduta, di circa un'ora con brevi pause. Se possibile è bene effettuare una parte dell'incontro in piedi, una parte seduti su sedie ed una parte sul terreno, convenientemente alternate. Quando non è possibile far sdraiare le persone, si possono alternare esercizi in stazione eretta e in posizione seduta o stare sempre seduti.

In ogni incontro è bene effettuare qualche esercizio specifico per la mobilità di piedi, caviglie, ginocchia, anche, dorso, spalle, collo, per migliorare la situazione generale ed anche per permettere più facilmente l'attuazione dei motivi di stimolazione specifica consigliati dalla condizione della malattia.

– Per stimolare la mobilità è utile rendere più completo il movimento indicando il punto di arrivo: ad esempio portare le braccia fuori fino a toccare le mani dei vicini; o sollevare un piede fino a sfiorare un birillo posto a terra di fronte, ecc. Ci si può anche servire di piccoli attrezzi da far passare da una mano all'altra dietro la schiena o sotto le ginocchia.

– Per migliorare la coordinazione conviene proporre esercizi molto semplici di alternanza di movimento delle braccia, delle gambe, di entrambe le coppie di arti.

Figura 7.1 - In circolo per mano, portare le braccia in alto

Gli esercizi che seguono sollecitano anche l'*equilibrio*. Se non è possibile eseguirli in piedi, gli stessi si possono fare, in circolo o in coppia, stando seduti:

1. in circolo, per mano, braccia fuori: portare in alto le braccia, ritorno (fig. 7.1 a p. precedente); idem in forma successiva (quindi lasciando il contatto di mano per riprenderlo al ritorno); idem alternando le due braccia ad un braccio solo;

2. in coppia per mano davanti: portare in fuori il braccio dalla stessa parte (per uno è il sinistro, per l'altro il destro), ritorno, dall'altra parte; aiutare il movimento con una guida verbale: la lateralità è sempre difficile anche perché poco usata;

3. idem portare in fuori una gamba dalla stessa parte, come sopra;

4. idem sollevare entrambi la gamba omologa, ritorno (fig. 7.2);

Figura 7.2 - A coppie di fronte per mano, sollevare la gamba omologa

5. idem, tenuti per mano davanti con incrocio, sollevare successivamente il braccio omologo, tornare per mano (fig. 7.3);

6. in piedi o seduti, individuale o per coppie, sulle ginocchia: una battuta di mani pari; una incrociata, alternate, più volte;

7. seduti, alternare tocco di tacco e punta sul terreno;

8. seduti (sedia o terreno) di fronte, il braccio omologo flesso, l'altro allungato avanti: flesso-estensione alterna sfiorando la mano del compagno (fig. 7.4);

9. idem con le gambe;

Figura 7.3 - A coppie tenendosi a braccia incrociate, sollevare il braccio omologo

Figura 7.4 - A coppie, seduti di fronte, braccio omologo flesso, scambiare la flesso-estensione col compagno

10. in circolo per mano gambe divaricate: espirando flettere il busto avanti sempre tenendosi le mani che si avvicinano al terreno, ritorno a busto eretto braccia in alto, inspirando (fatto che avviene automaticamente; ciascuno si flette come può anche piegando leggermente le gambe).

Le proposte che seguono sono suddivise secondo l'obiettivo prevalente degli esercizi.

Stimolazione visiva (attraverso di essa si realizza in alcuni di questi esercizi una forte sollecitazione cognitiva):

1. oltre al motivo di legare l'azione al tipo e al colore della palla (che permette molte soluzioni), si fa qualche esempio: distribuire le palle metà di un colore e metà di un altro; dopo un tempo di palleggio individuale, invitare a mettersi in coppia con una persona che ha la palla del proprio colore, palleggiare o scambiarsela in vario modo;
2. lo stesso distribuendo metà palline e metà cerchietti tutti dello stesso colore, invitando chi ha la pallina a mettersi in coppia con chi ha l'altro oggetto e fare vari scambi possibili fra i due attrezzi (fig. 7.5);
3. lo stesso ma rispettivamente metà palline e metà cerchietti di due colori diversi; ciascuno deve accoppiarsi con un compagno che abbia l'altro oggetto ma dello stesso colore e fare scambi vari;
4. in ampio circolo, alcuni birilli a terra, ciascuno ha un cerchietto di plastica da infilare ad un birillo che non ce l'ha ancora (fig. 7.6);
5. idem, alcuni birilli di due colori diversi a terra: ognuno ha un cerchietto da infilare ad un birillo dello stesso colore;

Figura 7.5 - Metà palline, metà cerchietti: trovare la persona che ha l'altro oggetto e scambiarlo

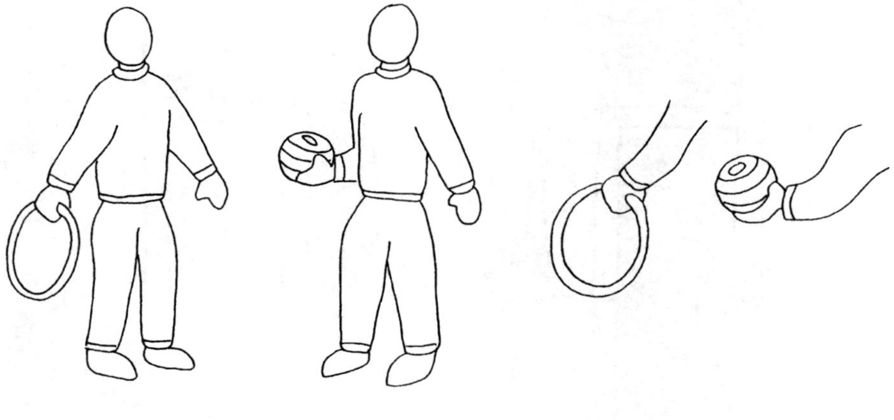

Figura 7.6 - Tutti hanno un cerchietto: infilarlo ad un birillo che non ce l'ha

6. in circolo in piedi o seduti, colpire con un tocco di mano, dita, pugno un pallone a fiato cercando di mantenerlo sempre "in aria";

7. idem, più distanziati, colpire il palloncino con un birillo grande leggero;

8. ciascuno ha 2 attrezzi (ad esempio birillo e palla media, o 2 palle diverse, ecc.) il conduttore compie un'azione con uno dei due attrezzi invitando il gruppo a fare altrettanto. Il conduttore alterna le azioni e il gruppo segue imitandolo;

9. in circolo, il conduttore ha due palle diverse di peso e di colore e fa eseguire ripetutamente ad ogni persona l'azione assegnata a ciascuna palla (quella più pesante viene scambiata a turno battendola a terra, quella più leggera viene scambiata con lancio) (fig. 7.7);

10. in seguito il conduttore propone a ciascuno un paio di scambi alternando non sistematicamente le palle: ciascuno deve rispondere con lo stesso tipo di scambio con cui ha ricevuto la palla;

Figura 7.7 - Il conduttore ha due palle di diverso peso e colore: fa eseguire ripetutamente l'azione di ciascuna palla (passaggio a terra o lancio)

Stimolazione uditiva:

1. camminare quando si sente la musica; quando la musica tace, ci si ferma si fa qualche movimento sul posto finché non riprende il suono con cui si cammina;

2. idem, il conduttore scandisce un ritmo sul tamburello; quando c'è silenzio ci si ferma e si riprende con il suono del tamburello (fig. 7.8);

Figura 7.8 - Camminare liberamente al ritmo del tamburello. Quando questo tace, fermarsi

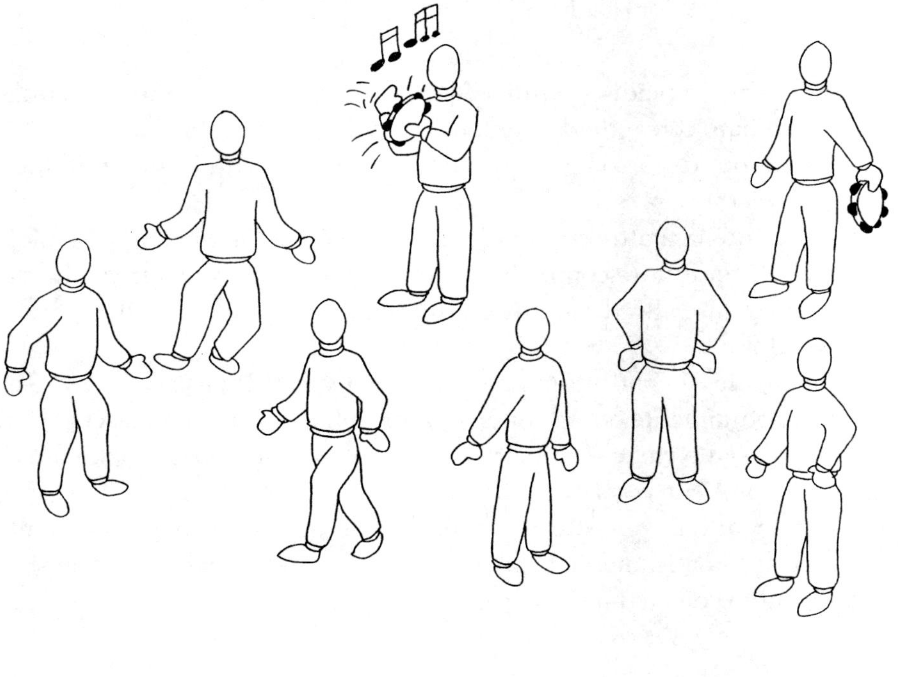

3. al suono del tamburello si cammina; quando il tamburello cessa e viene scandito il tempo con un fischietto ci si ferma e si fanno delle battute di mano o di piedi sul posto, per riprendere il cammino al suono del tamburello;

4. seguendo una musica dal motivo melodico di 8 in 8 (ad esempio un valzer), contando in un primo tempo i numeri ad alta voce, alternare per 8 tempi movimenti di gambe, per 8 tempi movimenti di braccia. Dopo molte ripetizioni effettuare l'azione utilizzando l'ascolto del motivo melodico;

5. alternare a tempi non prestabiliti una musica suonata a volume piuttosto alto con cui si cammina battendo le mani (o i piedi); quando la musica all'improvviso viene abbassata a sottovoce, camminare sugli avampiedi senza far rumore; scambiare più volte (fig. 7.9);

6. il conduttore batte ritmicamente a terra una palla un po' pesante (es. basket) variando ogni tanto il ritmo: i partecipanti sono invitati a battere le mani seguendo il ritmo della palla;

7. ballo in coppia (valzer, mazurka, ecc.) al suono della musica; al silenzio cambiare partner e riprendere il ballo quando riprende la musica;

Figura 7.9 - Con la musica ad alto volume camminare battendo le mani, a basso volume camminare sugli avampiedi

8. suonare due brani molto diversi fra loro, uno molto ritmato (ad esempio "New York, New York") e l'altro dolce e attenuato. Ripetere proponendo dei movimenti appropriati per ciascuna musica, poi interpellare sulla preferenza fra le due musiche e ripetere ancora quella più gradita;

9. con la musica di una danza 8 x 8, in circolo per mano: 4 passetti avanti, 4 passetti indietro poi su posto sempre per mano 4 oscillazioni di braccia verso l'alto e ritorno (2 tempi per ogni movimento) poi da capo;

10. alternare il suono di due musiche diverse, una con suoni prevalentemente bassi a volume alto, l'altra con suoni alti a volume normale. Alla prima musica far corrispondere movimenti di piedi o cammino (cioè utilizzando il basso del corpo); alla seconda musica movimenti di braccia verso l'alto. Alternare senza preavviso ma aiutare con l'esempio e la voce (fig. 7.10).

Figura 7.10 - Con suoni bassi camminare battendo i piedi, con suoni alti muovere le braccia verso l'alto

Stimolazione tattile:

1. in circolo, breve distanza, mettere in gioco oggetti molto diversi: pallina molto piccola, palloncino a fiato, anello, birillo, bastoncino, ecc. in numero di circa la metà dei partecipanti che consegnano l'oggetto al compagno al-

la propria destra e ricevono dalla propria sinistra. Chi guida segue l'azione e stimola la ripresa e la consegna in forma lenta ma continuativa. Se possibile, in seguito accelerare i passaggi; invertire la direzione (fig. 7.11);

Figura 7.11 - In circolo: chi ha l'oggetto lo passa alla propria destra

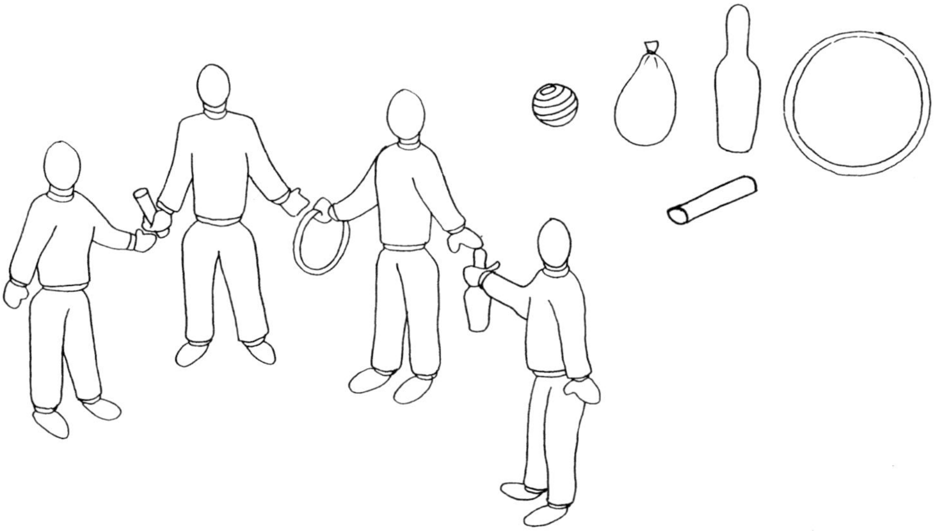

2. come è noto, il maneggio dei piccoli attrezzi sollecita le sensazioni legate al tatto. Perciò invitare a fare diverse azioni con lo stesso attrezzo o scambiarsi attrezzi molto diversi: bastoncino e palla, palla con le punte e birillo, cerchio e mattoncino di plastica, ecc.;

3. rotolare a terra, battere a terra, lanciare, una palla di diversi tipi fra due persone;

4. rotolare a terra un cerchio medio, far girare su se stesso un cerchio medio dando l'impulso con le dita pollice e medio, lanciarsi un cerchio piccolo;

5. tenere in gioco un palloncino a fiato con dei piccoli tocchi delle mani a pugno e dei gomiti;

6. palleggiare a terra una palla media, sul posto e spostandosi;

7. dopo aver maneggiato per parecchio tempo un singolo attrezzo in coppia, sempre in coppia procedere ad uno degli scambi simultanei con un attrezzo ciascuno; ad esempio il cerchio rotolato e la palla lanciata (fig. 7.12); se possibile in seguito effettuare gli scambi con due attrezzi ciascuno;

8. due persone in coppia di fronte tengono rispettivamente ai due angoli un foulard di discrete dimensioni e sul foulard sta una palla tipo volley; le

Figura 7.12 - Scambiarsi contemporaneamente l'attrezzo

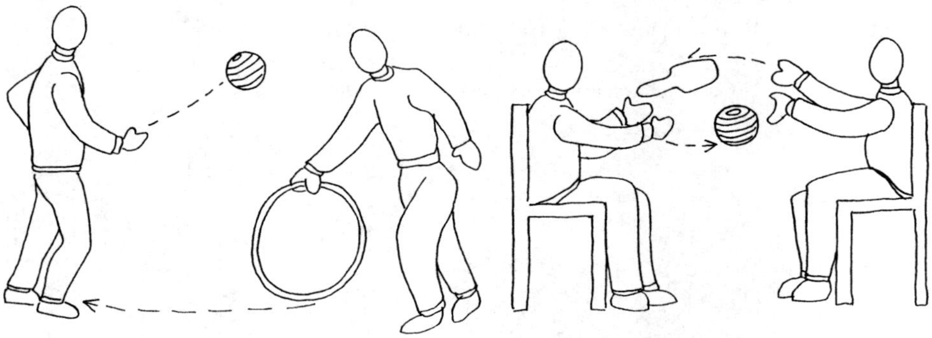

Figura 7.13 - A coppie tendere un foulard su cui sta una palla che viene lanciata alla coppia successiva

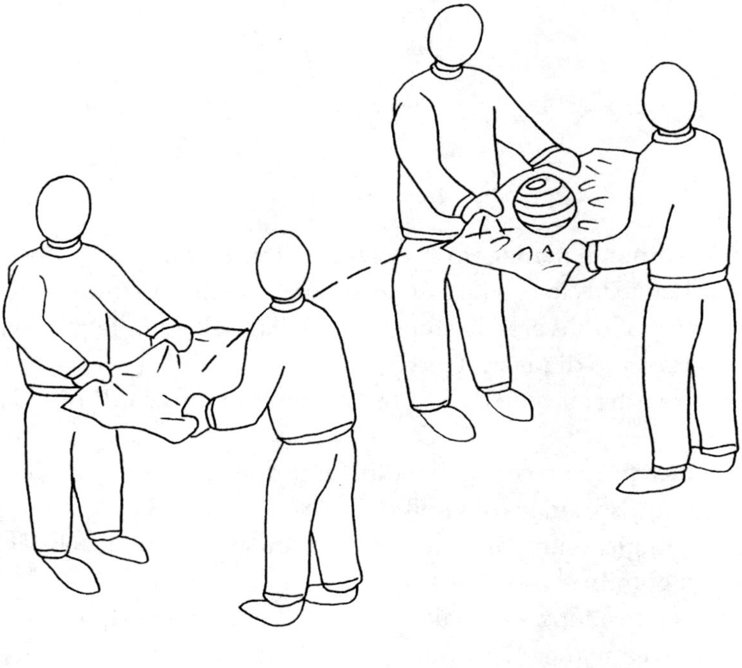

due persone sempre tenendo il foulard mandano la palla, lanciata o battuta a terra, ad un'altra coppia vicina che la riceve col foulard tenuto allo stesso modo (fig. 7.13); e così via (buon impegno del tatto, della motricità fine per tenere il foulard sottile senza farlo scivolare via dalle mani e dell'aspetto cognitivo per realizzare dei gesti insoliti);

9. camminare liberamente con la musica, metà persone ha un palloncino a fiato con cui dà un piccolo tocco sulla spalla ad una persona che non ce l'ha e con cui si unisce per ballare, ad un segnale cambiare i ruoli;

10. far rotolare una pallina media sulle parti del corpo ove è possibile (gambe, braccia, petto, collo e dorso) anche per preparare la proposta successiva;

11. è di grande importanza la sollecitazione tattile prodotta dall'automassaggio per il contatto col proprio corpo sentendo la forma e la consistenza delle zone massaggiate. Invitare all'automassaggio delle spalle, del collo, delle ginocchia, delle mani, dei piedi ...; raramente è possibile il massaggio reciproco, mentre il conduttore e gli assistenti possono intervenire a dare il massaggio ai malati ed eventualmente a ricevere qualche piccolo intervento di scambio.

Stimolazione cognitiva:

1. in circolo, al centro un cesto pieno degli oggetti che di solito si usano. A turno, un partecipante è invitato a scegliere un oggetto e proporre cosa fare (distribuire gli oggetti agli altri per permettere l'azione). Poi si tolgono gli attrezzi usati e subentra un altro individuo a fare la stessa cosa con gli attrezzi rimasti e così via;

2. al centro del circolo c'è un gruppo di 5-6 dei soliti attrezzi che si invita a osservare attentamente prima di coprirlo con un foulard. L'operatore toglie uno degli oggetti coperto col foulard, senza far vedere qual è. Il gruppo di oggetti rimasti è in vista e si invita a dire qual è l'oggetto che è stato tolto. Si può ripetere togliendo un altro oggetto (fig. 7.14);

Figura 7.14 - Al centro un gruppo dei soliti attrezzi poi coperti da un foulard; il conduttore toglie l'oggetto con il foulard. I presenti devono identificare l'oggetto tolto

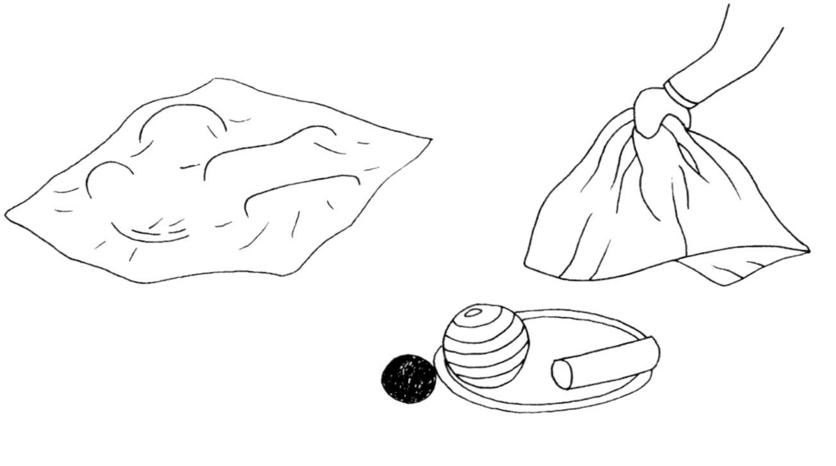

3. idem facendo l'inverso: ad un gruppo di 3-4 oggetti ben osservati, se ne aggiunge un altro coprendolo col foulard che poi viene tolto e si invita a dire qual è. Si può ripetere aggiungendo un altro oggetto;

4. in circolo, metà persone ha un attrezzo (palla, cerchio piccolo, ecc.) e si invita a scambiarlo con una persona designata che si deve chiamare per nome;

5. con una musica popolare non veloce, che abbia il motivo che cambia e si ripete di 8 in 8, in circolo di fianco per mano: per 8 tempi si cammina e per 8 tempi sul posto si fanno battute di mano, (iniziare contando i tempi tutti insieme). Fare altre combinazioni che variano di 8 in 8;

6. per coppie di fronte, una persona ha un cerchio medio, un'altra una palla media: scambiarsi simultaneamente gli attrezzi, cerchio rotolato e palla battuta a terra senza che gli attrezzi si urtino;

7. a turno battere la palla a terra in modo che la battuta cada all'interno di un cerchio grande posato a terra al centro del circolo. Il cerchio viene poi progressivamente sollevato e induce i partecipanti a trovare un adattamento personale per realizzare la consegna che non è cambiata (fig. 7.15);

8. individualmente, a coppie o in circolo: battere la palla a terra con una certa energia e riprenderla al 2° rimbalzo contando forte i numeri. In seguito riprenderla al 3° rimbalzo (fig. 7.16);

9. si sceglie un animale terrestre (esempio cane) e quando viene chiamato dal conduttore si fanno dei movimenti con i piedi; al nome di un animale che vola (esempio rondine) si fanno dei movimenti con le braccia; si invita

Figura 7.15 - Battere la palla a terra all'interno di un cerchio; successivamente la stessa cosa tenendo il cerchio sollevato

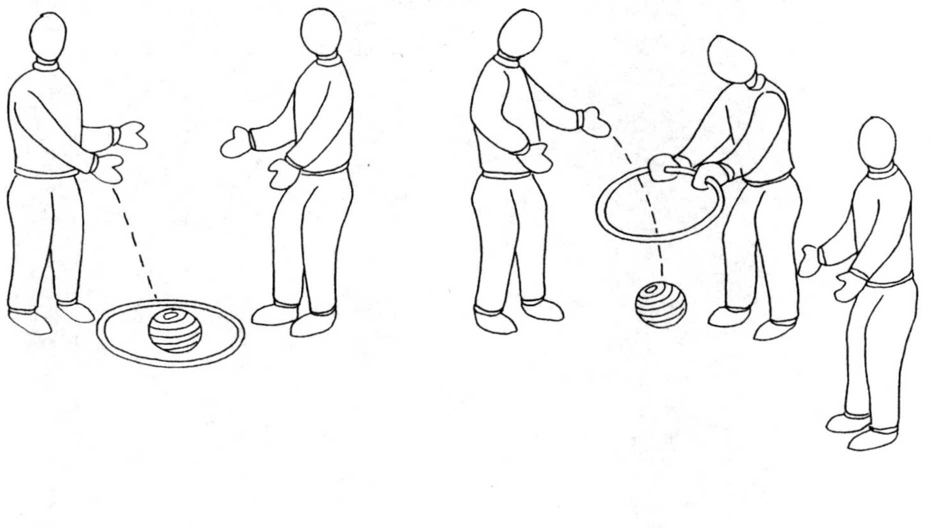

Figura 7.16 - Battere la palla a terra con forza: riprenderla al secondo rimbalzo e in seguito al terzo

a cercare altri animali o li propone il conduttore seguendo l'interpretazione dei primi due;

10. si preparano dei triangoli e dei tondi di carta colorata di due colori diversi che si distribuiscono ai partecipanti; si invita ciascuno a cercare un partner che abbia la stessa figura a cui unirsi per fare dei movimenti. Se possibile in seguito usare tre colori;

11. un forte stimolo cognitivo e relazionale è rappresentato da questo passaggio: in circolo, il conduttore ha un cestino che contiene tante palline leggere quante il numero dei partecipanti ed iniziando dal suo vicino di sinistra (o di destra) invita a passarsi il cestino sempre in quella direzione, trattenendo per sé una pallina che servirà per degli esercizi successivi (vale a dire distribuire le palline in modo attivo). Lo stesso si può fare in senso inverso per "raccogliere" le palline dopo averle usate.

Orientamento nello spazio:

1. camminare in gruppo con riferimento direzionale alle pareti attraverso elementi che sono presenti (porte, finestre, mobili, ecc.) indicato verbalmente dal conduttore e con un segnale;

2. sedie, o altro, disposte in fila distanziate: camminare a serpentino tra le sedie, alla fine della fila ritorno normale all'altro capo per ricominciare (fig. 7.17);

3. per due per mano camminare (con la musica) intorno al locale; ad un segnale fare dietro-front e camminare sempre per mano nella direzione che resta invertita; si ripete alcune volte;

4. per due per mano camminare liberamente al suono di una musica. Quando la musica cessa cambiare compagno e riprendere a camminare al nuovo suono della musica, ripetere;

Figura 7.17 - Camminare a serpentino tra una fila di sedie

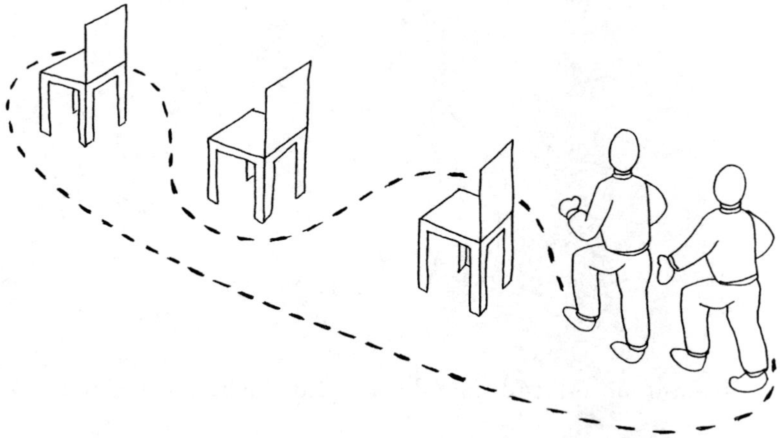

5. in circolo, una persona al centro lancia la palla ad un compagno nel circolo che con la palla in mano prende il suo posto al centro e fa la stessa cosa; chi era al centro prende il posto del compagno a cui aveva lanciato la palla, a turno partecipano tutti (fig. 7.18);

Figura 7.18 - Chi è al centro lancia la palla ad un compagno del circolo e ne prende il posto mentre chi ha ricevuto la palla va al centro e così via

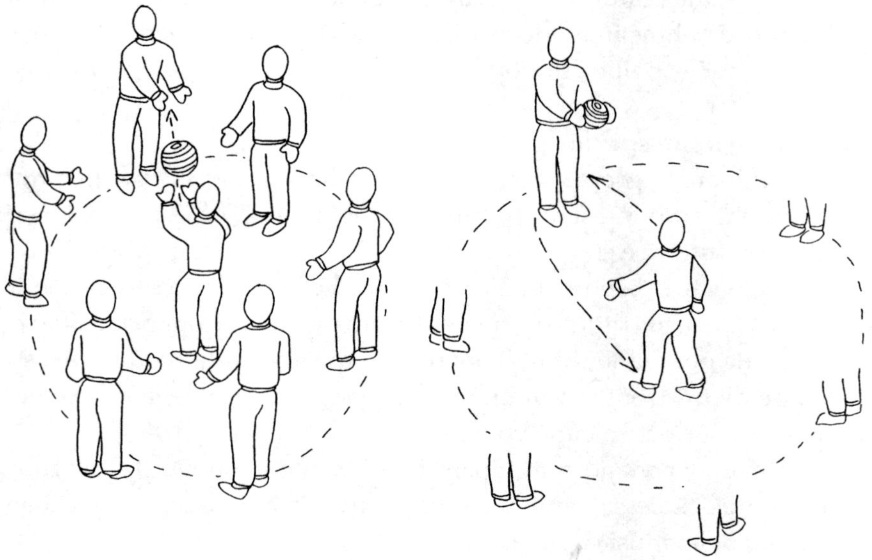

6. in circolo, una persona manda (con lancio o con un palleggio a terra) la palla ad un compagno del cerchio di cui prende il posto, dopo che questi a sua volta ha lanciato la palla ed ha lasciato libero il posto; cercare di far passare tutti al gioco;

7. in circolo di fianco a breve distanza: passaggio della palla all'indietro sopracapo, a mano da uno all'altro (la difficoltà è rappresentata da un movimento in direzione opposta a quella abituale) (fig. 7.19);

Figura 7.19 - In circolo uno dietro l'altro, passare la palla all'indietro sopra il capo

8. idem, quando c'è musica il circolo in fila cammina (una persona tiene in mano la palla); quando la musica per un po' cessa, ci si ferma e si riprende il passaggio all'indietro e così via;

9. se questo meccanismo è possibile, passare la palla all'indietro con un piccolo lancio;

10. idem, passaggio della palla all'indietro rotolata fra i piedi allontanati (fig. 7.20);

Figura 7.20 - In circolo uno dietro l'altro, piedi allontanati, rotolare la palla all'indietro

11. dopo molte ripetizioni nel tempo rispettivamente del n. 7 e del n. 10, iniziare dal passaggio sopracapo, ad un segnale rinforzato da indicazione verbale, passaggio all'indietro rotolato fra i piedi e così via (la difficoltà consiste nel fare un movimento modificando la postura con la flessione del busto avanti);

12. tutti questi passaggi fatti in fila, dal primo all'ultimo che si muove tenendo la palla e si porta davanti alla fila e ricomincia il passaggio; cercare altri passaggi possibili.

Stimolazione relazionale:

La componente relazionale per una certa parte viene sviluppata con la disposizione in circolo, palleggi e scambi di gruppo successivi, circolari, in coppia; nei momenti di ballo, delle piccole danze che è possibile realizzare ed in tutte le occasioni in cui si fanno esercizi per mano, sottobraccio, ecc.

Molte delle proposte presentate con altro principale obiettivo favoriscono relazione e comunicazione, tuttavia si fanno alcuni esempi mirati:

1. il massaggio reciproco (già citato nelle proposte tattili) ha molte altre finalità, comprende una sollecitazione relazionale rilevante. In questo contesto però è difficilmente realizzabile, mentre si può sempre fare (in genere con palese gradimento del soggetto) da conduttore e assistenti ai pazienti, con una pallina o a mano libera; in questo caso si può cercare di farlo ricambiare come è possibile (fig. 7.21);

Figura 7.21 - Massaggio eseguito dal conduttore ai pazienti

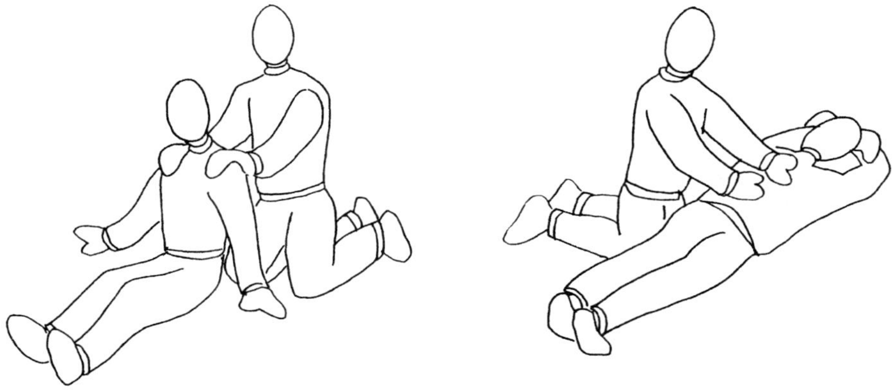

2. oltre agli esercizi in coppia tenendosi per mano, la relazione è più intensa quando si è a contatto di dorso (in piedi, a terra), di spalla o di piedi per eseguire esercizi di vari distretti del corpo, ad esempio in piedi o seduti a terra, dorso contro dorso, tenendosi per mano sollevare le braccia fuori-alto inspirando, abbassarle espirando (fig. 7.22);

3. in coppia, di fronte, seduti su una sedia o a terra, pianta dei piedi (senza scarpe) reciprocamente a contatto: movimenti vari, bicicletta, flessione delle gambe di una persona mentre l'altra le estende, ecc. (fig. 7.23);

Figura 7.22 - A coppie, dorso contro dorso tenuti per mano, sollevare le braccia fuori-alto

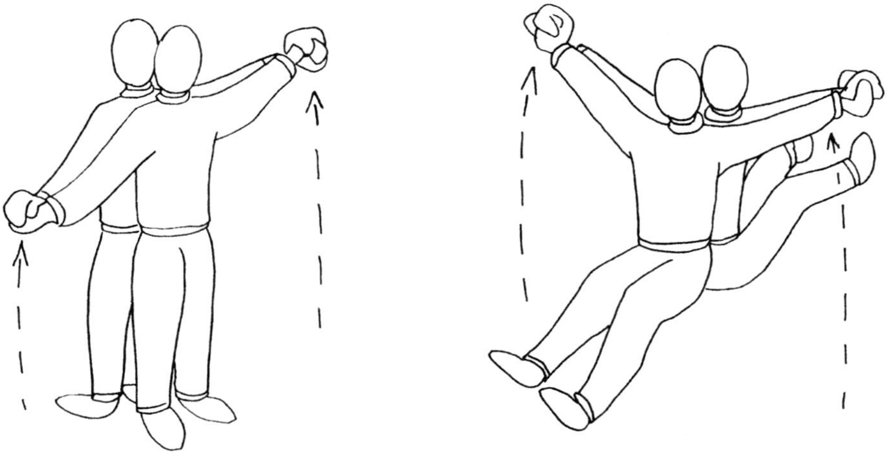

Figura 7.23 - A coppie, seduti di fronte con i piedi a contatto, una persona flette le ginocchia mentre l'altra estende le gambe

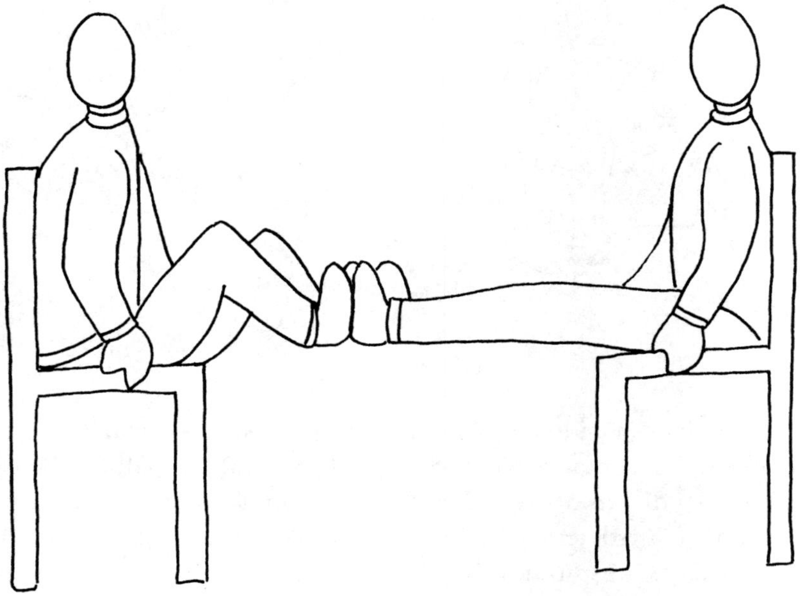

4. con una musica non veloce dal motivo melodico che varia e si ripete 8 x 8, facile danza: per coppie di fianco e per mano, 8 passi in senso circolare, al variare della melodia (gli altri 8 tempi) le persone all'esterno del circolo stanno ferme e le altre, con la guida dell'operatore, una dopo l'altra avanzano di un posto e danno la mano al nuovo compagno di coppia, per riprendere i passi avanti quando ricomincia il primo motivo e così via; in questo modo ciascuno cambia ripetutamente il compagno.

Il chiamare i compagni per nome, tentando di ricordarli, è un esercizio con alta componente cognitiva per l'impiego mnemonico relativo, però lo si annota nelle presenti stimolazioni perché ha un risvolto relazionale insostituibile per aiutare i singoli individui che, chi più chi meno, tendono ad estraniarsi dalla realtà che li circonda ad essere almeno temporaneamente nel gruppo. Si possono fare alcuni esempi:

– in circolo seduti, iniziando da uno qualsiasi, questi è invitato a dire il proprio nome e gli altri lo ripetono alcune volte; si continua in successione;

– in circolo, a turno mandare la palla al singolo individuo chiamandolo per nome. Se chi manda la palla non lo ricorda tutto il gruppo lo aiuta chiamando il destinatario (fig. 7.24);

Figura 7.24 - In circolo, a turno lanciare la palla ad un compagno chiamandolo per nome

– in circolo seduti, tutti chiamano uno dei partecipanti designato, chi è chiamato se può si alza e improvvisa un saluto, poi indica un compagno da chiamare e così via.

5. In circolo, inizia il conduttore che dà al proprio vicino di destra un tocco di mano sulla spalla; questo continua al proprio vicino di destra e così via per tutto il circolo;

6. si presume che ci siano almeno 4 coppie; si inizia che in ogni coppia ci si scambia la palla in vari modi; ad un invito ogni coppia si unisce ad un'altra (4 persone con 2 palle) e si cerca un modo di palleggiare in 4. Ad un nuovo invito tornano a palleggiare in coppia per poi unirsi all'altra coppia per lo scambio a 4. Il conduttore segue indirizzando gli incerti;

7. camminare liberamente con una musica suonata sottovoce. Quando il volume della musica viene alzato consistentemente, unirsi sottobraccio a un compagno e camminare in coppia finché la musica si abbassa e si riprende da capo (fig. 7.25).

Figura 7.25 - Camminare liberamente con musica a volume normale; quando il volume è alto, camminare in coppia

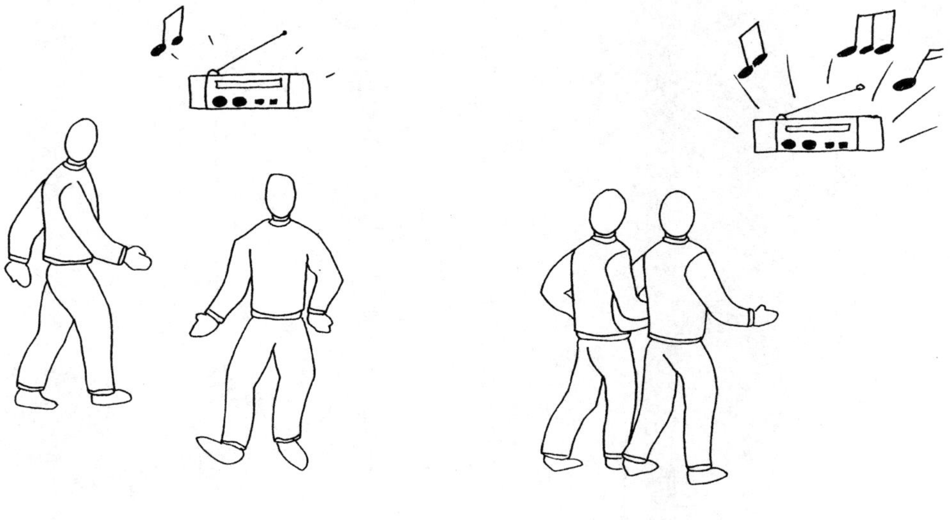

7.7 Osservazioni complessive

Per operare in questo campo occorre lasciare da parte l'idea di vedere dei risultati tangibili proporzionati al tempo impiegato. Ciascuno dei pazienti ed il gruppo che li comprende, si diceva già all'inizio del capitolo, presentano infatti scarsa continuità ed un'estrema variabilità, che può riservare sorprendenti miglioramenti o improvvise defaillance. Alcune proposte abitualmente poco realizzabili lo diventano a volte per la convergenza casuale di coincidenze positive.

Di conseguenza, pur avendo predisposto, dopo il lungo periodo di osservazione, il programma di lavoro, è necessario essere elastici nell'attuarlo e pronti ad apportarvi quelle modifiche che lo rendano più adatto alla situazione. D'altra parte l'obiettivo del conduttore non deve essere quello di far apprendere, a tutti i costi, elementi di motricità. Piuttosto, attraverso le proposte motorie, deve offrire ai presenti occasioni di benessere, di partecipazione, di relazione con gli altri, di espressione di sé e della propria vitalità che sopravvive alla malattia. Il risultato cui tendere non è l'apprendimento ma la partecipazione. Quando lo stimolo lanciato ha successo l'atmosfera è più serena: qualcuno almeno è consapevole che il pur semplice progetto che gli è stato proposto è riuscito. Al di là di tutti i risultati che abbiamo ricordato e che, comunque, si possono conseguire è questo, a nostro giudizio, l'obiettivo più importante.

7.8 Il ballo, la danza

Non è chiara la differenza fra questi due termini, che nel linguaggio e nella pratica comune spesso sono usati indifferentemente.

La danza (e/o il ballo), avendo come strumento il corpo, può essere considerata la più antica forma di espressione artistica. Dai secoli più remoti, quando aveva spesso valenza rituale, occupa un posto privilegiato nei festeggiamenti delle ricorrenze collettive. Anche nel nostro Paese ultimamente si sono recuperate antiche tradizioni, espresse soprattutto nelle danze folcloristiche che animano le varie feste patronali.

Il "ballo" propriamente detto, dopo periodi di stasi ha ripreso tutto il suo posto nei locali di ogni tipo, anche modesti, molto frequentati dagli anziani che prediligono il "liscio". Questo interesse è comune a tutte le categorie di individui anziani che nelle sale, nelle palestre, all'aperto, in presenza di musica adatta non tralasciano mai l'occasione di improvvisare un ballo.

Proprio la musica muove ogni tipo di danza, dalle percussioni tribali attraverso varie forme fino alla classica. I motivi musicali conosciuti e amati dagli individui portano con sé le particolari atmosfere in cui sono stati ascoltati e riascoltati. Questo avviene specialmente nell'età anziana, quando rievocano momenti lontani ma ricordati come sereni. Di qui la grande fortuna del ballo liscio. La sollecitazione offerta dalla musica coinvolge anche i malati di demenza, che solitamente apprezzano i motivi musicali "ballabili" (valzer, mazurka, tango): viene subito accettato, quando non sollecitato, l'invito a mettersi in coppia e ballare; anzi spesso, conoscendosi fra loro, i più abili si cercano reciprocamente.

Non è raro poi che in uno stato avanzato della malattia, quando la persona non comunica o comunica pochissimo, all'ascolto di un particolare motivo cerchi un compagno per ballare insieme. Qualche volta succede che il motivo ballato venga canterellato dai partecipanti, anche da qualcuno che di solito non parla, tanto che sembra non interagire con l'ambiente. In conclusione la musica, certa musica, ha un suo ruolo importantissimo nella sollecitazione emotiva degli individui in tutte le condizioni. Abbiamo constatato che anche nella grande difficoltà un motivo non completamente dimenticato riaffiora come melodia e ritmo inducendo il soggetto all'azione spontanea, da cui forse è in grado di trarre un breve periodo di serenità. Per questa ragione in un programma di attivazione motoria non devono mai mancare dei momenti musicali finalizzati agli esercizi, al ballo, al canto e, nell'insieme, allo svago (fig. 7.26).

Figura 7.26 - Il ballo, la danza

7.9 Struttura e materiali

Il programma di lavoro sopra illustrato, da noi già sperimentato, è realizzabile nell'ambito di strutture residenziali o diurne che accolgono persone dementi, accanto ad altre attività di stimolazione cognitiva (vedi capitolo 2).

Per organizzare gli incontri è sufficiente la disponibilità di un locale di dimensioni medie, non troppo ingombro di mobili o attrezzature, fornito di sedie solide ma facilmente spostabili, con pavimento di moquette (o disponibilità di tappetini) e apparecchi per ascoltare musica.

Si dovrà cercare di ridurre al minimo aspetti poco confortevoli delle sale che ci si trova ad utilizzare, insistendo fermamente che siano locali non di passaggio quindi non disturbati dall'intervento di altri malati, di parenti, di personale in altra attività. È questa un'esigenza fondamentale per non compromettere la fragilissima concentrazione dei partecipanti e permettere la riuscita dei piccoli progetti proposti.

Quanto al materiale maneggiabile si è già ampiamente parlato nel paragrafo 7.5 che illustra l'attività. Si ribadisce che sia vario e di assoluta sicurezza come fattura e leggerezza (come risulta reperibile presso le ditte che trattano "gioco educativo").

Le attività di gruppo di cui si parla, essendo direttamente o indirettamente parte di organizzazioni istituzionali si svolgono presso strutture ospedaliere, RSA (Residenze Socio Assistenziali) o RAF (Residenze Assistenziali Flessibili), presidi del Servizio sanitario nazionale in forma diretta o spesso affidati alla gestione di cooperative ma con l'assistenza medica dell'Asl competente. Per tale ragione i soggetti vengono inviati all'attività dai medici delle UVG (Unità Valutativa Geriatrica) e UVA (Unità Valutativa Alzheimer) o del presidio Asl, che in tal modo accertano la loro idoneità a svolgere un'attivazione motoria sia pur blanda. Questa attività dunque si svolge nell'ambito dei cosiddetti "presidi assistiti" e deve essere condotta da persone esperte di Scienze motorie che abbiano approfondito le tematiche inerenti alla malattia e alla situazione dei malati ai vari stadi del morbo.

Quando l'organizzazione fosse di natura privata, o di associazioni di volontariato, è necessario comunque provvedere a questo tipo di copertura.

7.10 Se il paziente è uno solo

Per quel che riguarda le caratteristiche del malato di Alzheimer (rispetto ad un intervento di attivazione motoria), si fa riferimento ai punti precedenti del presente capitolo con le osservazioni che riguardano il gruppo, le manifestazioni individuali e gli esempi.

Ma se le circostanze non consentono la partecipazione ad un gruppo ed è consigliabile la sollecitazione psicomotoria di un singolo da parte del parente, dell'assistente, del volontario, si sintetizzano alcune premesse mirate.

L'obiettivo rimane sempre la realizzazione di azioni motorie attraverso la sollecitazione cognitiva e la stimolazione sensoriale, per coinvolgere il malato a livello emotivo, cognitivo/orientativo, relazionale.

Quindi serve utilizzare nell'ambiente tutti quegli elementi legati alle azioni quotidiane, oltre a quelli possibili indotti dall'uso di qualche piccolo attrezzo.

Come già esposto nei paragrafi 7.5 e 7.6, il colore, la forma, la consistenza, l'uso e il maneggio di oggetti e attrezzi sono fondamentali per sollecitare il paziente a mantenere autonomia anche minima nella vita in famiglia.

Si esprimono alcune indicazioni che ciascuno varierà a seconda della propria situazione.

Altrove è espressa l'importanza di motivare le azioni che si richiedono alla persona. Così ogni giorno se possibile, accompagnare il malato in una passeggiata che può anche essere un'incombenza utile: fare degli acquisti, comprare il giornale, ecc.

Poi anche in casa cercare, fino a dove si riesce, di farsi aiutare nelle azioni di mantenimento della casa e di preparazione dei pasti, non trascurando

Figura 7.27 - Si può aiutare l'orientamento facendo abbinare gli ambienti a dei colori

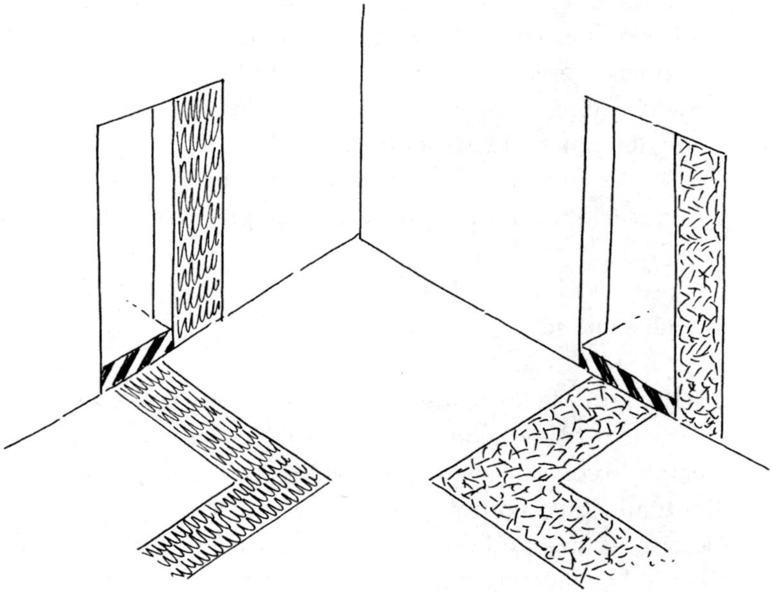

di sollecitare l'utilizzo di schemi di azione che hanno caratterizzato la vita lavorativa o hobbistica dell'individuo e che spesso danno risultati apprezzabili non tanto sul piano dell'esecuzione pratica, quanto sull'impegno cognitivo anche rispetto alla memoria remota.

Per tutte le realizzazioni ci si può aiutare con oggetti di colore diverso ma di uso specifico costante, ad esempio il pentolino rosso per il the, il bricco bianco per il latte, ecc.

Un aiuto può anche venire da un rafforzamento delle indicazioni per l'orientamento nelle stanze, facendo ricorso a qualche espediente che risulti riconoscibile dal paziente, come applicare carta di diverso colore sulle porte, come il giallo per il bagno, il blu per la stanza da letto, ecc. anche aiutando il percorso per raggiungerle con strisce colorate sul pavimento, ad esempio dalle altre camere al bagno con lo stesso colore applicato sulla porta (fig. 7.27).

Oltre a questi interventi legati all'orientamento nell'ambiente ed alla vita quotidiana, si consiglia di ricavare ogni giorno o come si può, una mezz'ora verso un intervento specifico con qualche movimento degli arti da fare insieme al paziente – un piccolo massaggio a spalle, dorso, mani, piedi (che può essere parzialmente reciproco) (fig. 7.28) – al maneggio di attrezzi tra cui la palla è certamente il più utile.

Occorre tenere presente di usare preferibilmente palle di diverse dimensioni e colori, non troppo pesanti per cui si può prendere spunto dagli esempi proposti nel paragrafo 7.6. Ma in una casa ci sono cuscini da maneggiare in modo vario anche lanciandoseli o percuotendoli; foulard, elastici ed altri oggetti utilizzabili purché non presentino rischi né per il malato né per il parente (fig. 7.29).

Figura 7.28 - Operando con una persona sola, avvicinarla con piccoli movimenti e massaggi

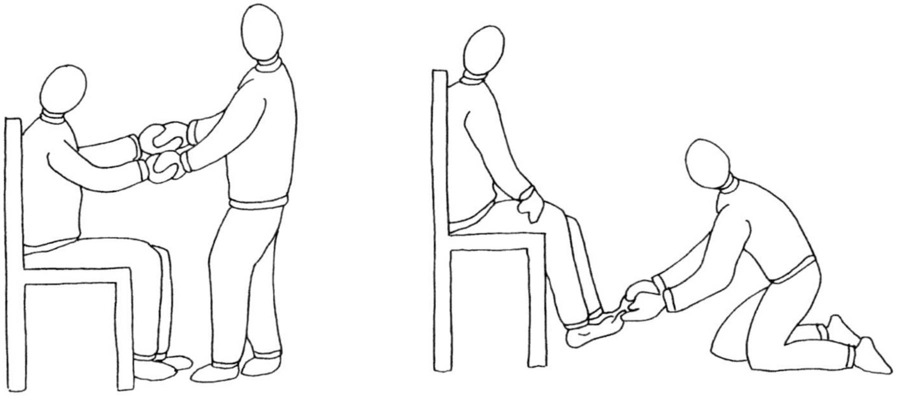

Figura 7.29 - Maneggiare o percuotere cuscini

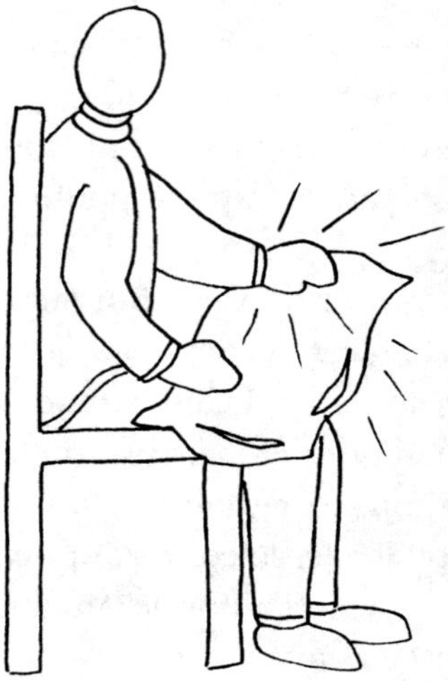

Non si può dimenticare la musica, meglio se risponde ai gusti personali dell'interessato, ma anche su una diversa linea proprio per rafforzare la stimolazione che vi è legata.

Se la persona è disponibile, può dare qualche sollievo lo stare alcuni minuti distesi a terra su un tappetino, magari con un piccolo cuscino, supina o su un fianco con la vicinanza della persona che assiste (fig. 7.30).

Figura 7.30 - Aiutare il paziente a rilassarsi con un leggero massaggio quasi accarezzato

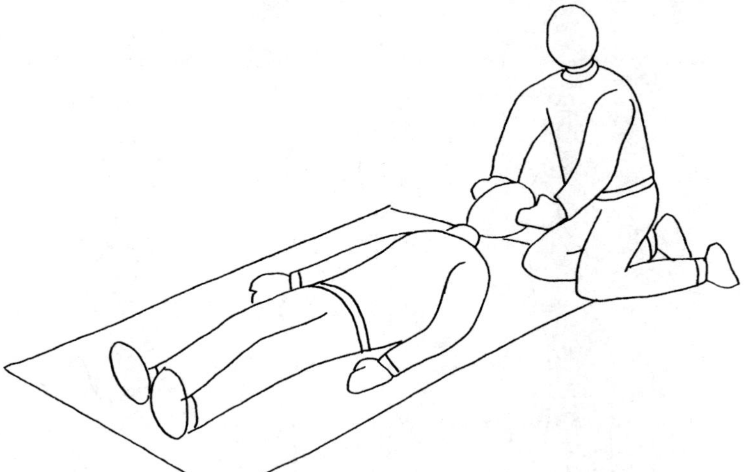

Durante questo tempo si può fare un massaggio leggero, quasi accarezzato ed aiutare il malato a fare qualche respiro più ampio, respirando con lui. Poi guidarlo a rialzarsi molto lentamente sostando nelle posizioni intermedie per evitare disorientamento e capogiro per il cambio di posizione troppo rapido.

Oltre a specifiche stimolazioni motorio-sensoriali-cognitive come quelle indicate, può anche essere utile fare degli esercizi di arti e busto, in piedi o seduti secondo le situazioni, indicando le consegne con linguaggio del quotidiano o facendoli col paziente che in tal modo è aiutato dall'imitazione. Se eseguiti in piedi, si stimola anche la percezione e il mantenimento dell'equilibrio, sempre utili alla conservazione dell'autonomia perciò: movimenti simultanei o successivi delle braccia nelle varie direzioni, movimenti successivi delle gambe, passi e spostamenti in diverse direzioni, brevi piegamenti sulle gambe tenendosi in qualche modo, piccola flessione anteriore del busto, sedersi e alzarsi da una sedia (fig. 7.31).

Figura 7.31 - Aiutare il paziente a fare piccoli piegamenti sulle gambe

7.11 Ma cosa ne pensano gli interessati?

Fin qui si è parlato di come appare al medico, all'operatore, al familiare il soggetto ammalato di Alzheimer o di demenza; in particolare delle sue manifestazioni durante un gruppo di attivazione psicomotoria, di come riesce a recepire gli stimoli ed a formulare le risposte impiegando le sue facoltà cognitive, le percezioni sensoriali e le capacità motorie. Queste notizie sono ricavate da studi e approfondimenti di chi opera in questo contesto e che per la necessità di rendere proficuo il suo intervento deve agire nell'ottica dell'osservatore di quanto si svolge sotto i suoi occhi.

Ma proviamo a metterci nella parte degli interessati o per lo meno a riferire impressioni di altro tipo che ricava un operatore che da tempo è in relazione con un gruppo o con singoli, o che affianca con altri interventi l'attivazione motoria. Si è già detto che esistono tipi di organizzazione per cui i partecipanti seguono anche gruppi tenuti da psicologi che, oltre alla sollecitazione cognitiva specifica, possono far emergere qualche sensazione personale.

La manifestazione delle impressioni prodotte dall'esperienza che si vive è legata al livello di gravità della malattia, ma anche al carattere della persona, al suo bisogno ed alla capacità del momento di comunicare ciò che prova. Chi opera un intervento che coinvolge il corpo, ha più di altri l'opportunità di "leggere" le sensazioni della persona attraverso quanto manifesta col linguaggio del corpo che, com'è noto, presenta grande sincerità specialmente in questo contesto da cui sono estranee le convenzioni ed i condizionamenti che caratterizzano la nostra società. Purtroppo spesso la gravità della malattia offusca tale capacità di espressione offrendo solo un'immagine globale di indifferenza e di segnali visibili di deterioramento mentale. Ma non è sempre così e i malati che partecipano ai gruppi offrono un'ampia possibilità di conoscere sensazioni e atteggiamenti relativi all'attività che vivono. Inoltre assai spesso durante la seduta, proprio grazie al clima di serenità che si può instaurare, è facile che qualcuno esprima a parole il gradimento o la difficoltà delle consegne e accompagni l'azione con commenti vari, a volte con qualche proposta creativa.

Vediamo dunque qualche esempio di lettura del linguaggio silente ([3]) ma evidente che forniscono questi soggetti.

([3]) Hall E.T., *Il linguaggio silenzioso*, Milano, Bompiani, 1989.

Nei gruppi residenziali e dei centri diurni, gli ammalati vengono designati alla partecipazione dai medici, ma non sono mai forzati. All'ora stabilita sono indirizzati al gruppo e invitati a farne parte dagli assistenti, sempre che la cosa sia gradita. Perciò la presenza della persona, e la sua permanenza all'attività, è già di per sé una risposta positiva. Talvolta qualcuno si allontana, segnale questo di non gradimento o di incapacità cognitiva a seguire l'azione, stanchezza, disagio o irrequietezza (raramente i wandering seguono anche solo una parte dell'incontro). Ma la comunicazione più forte è data dalla mimica facciale che trasmette potentemente ciò che prova l'individuo ed anche dalla gestualità con cui questi rende le azioni. Soprattutto nelle proposte a carattere ludico e relazionale emerge con chiarezza il consenso della persona che accompagna i movimenti richiesti con una serie di gesti accessori, spontanei, che rivelano il suo stato d'animo ed il compiacimento della partecipazione. Al contrario se la situazione è di tolleranza o sopportazione, i gesti sono misurati, rigidi, imprecisi e talvolta ritardati rispetto agli altri, ferme restando le manifestazioni di difficoltà di tipo cognitivo e non solo, di cui si è molto parlato (fig. 7.32).

Figura 7.32 - Atteggiamento di rifiuto, atteggiamento di consenso

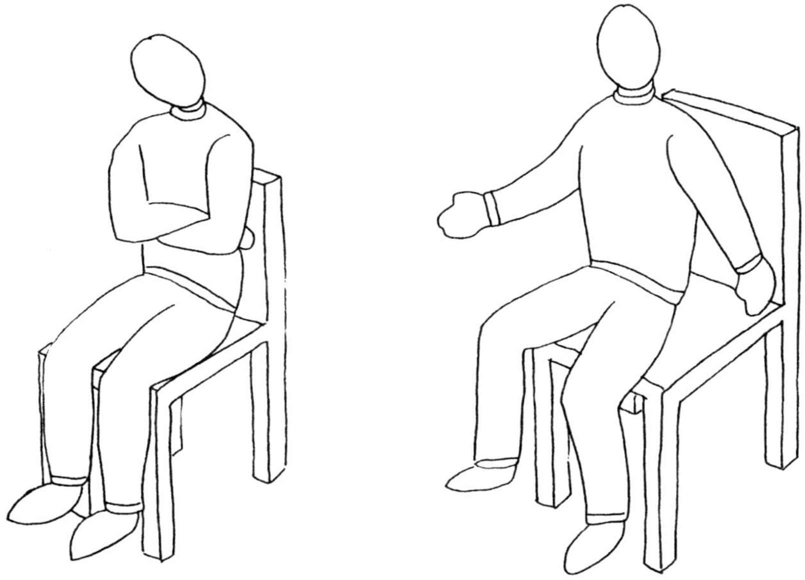

C'è inoltre tutta la ricca gamma espressiva, verbale e non verbale (quindi gestuale) che accompagna il maneggio dei vari tipi di palle (molto più che degli altri attrezzi) sia che le azioni proposte riescano, sia che non vadano a buon fine, come ad esempio non riuscire a prendere la palla e lasciarla cadere. Qui entrano in azione la necessità di esprimere ciò che si prova che può essere soddisfazione o disappunto e talvolta anche divertimento per i piccoli insuccessi propri e altrui, che in ultima analisi stanno a significare il coinvolgimento all'azione comune.

Un elemento forte di consenso appare talvolta nei momenti più marcati di relazione reciproca e se ne può spiegare la ragione col fatto che l'ammalato può avere con chi assiste e in famiglia affetto, attenzione, scambi che però spesso sono condizionati (sia detto nel senso migliore) dal tipo di rapporto che si può creare fra assistente e assistito. Nel gruppo, invece, di cui operatore e assistenti fanno parte a tutti gli effetti, si cerca di creare una situazione di parità che viene percepita ed a volte espressa dai partecipanti verbalmente, con piccoli commenti o manifestazioni mimico-gestuali.

Tra gli ammalati dotati di particolare sensibilità e che sono ad uno stadio non troppo avanzato, ve ne possono essere alcuni consapevoli della malattia e dei suoi nefasti sviluppi, che esprimono a volte disappunto e rammarico per la propria sorte. Fra questi c'è chi si chiede e chiede al conduttore, se e quale beneficio può venire dalla frequenza al gruppo. In altre parole queste persone esprimono una speranza di miglioramento della propria condizione. Questa aspettativa di speranza è abbastanza diffusa, anche se talvolta latente, in chi partecipa ai gruppi, diciamo così, di azione quali l'attivazione psicomotoria e, dove c'è, la musicoterapia; mentre viene vissuta con minor convinzione la partecipazione agli incontri di sollecitazione cognitiva a livello verbale.

Queste notizie sono manifestate nei momenti di sosta dell'attività in cui magari una persona inizia a parlare e qualcun altro si unisce ai commenti.

Nella maggior parte dei casi un segnale di gradimento di partecipazione all'attività (che come abbiamo visto è considerata un elemento di speranza, quasi come una terapia) è dato dall'insofferenza e perfino da qualche protesta, nei confronti di chi "disturba" l'azione del gruppo di cui si sentono parte a differenza di chi non è più in grado e degli operatori che devono attendere alle loro mansioni (vedi paragrafo 7.9 dove si parla della necessità di avere un locale non di passaggio). E ancora il bisogno che i piccoli progetti riescano è sottolineato dal fatto che qualcuno, in grado di farlo, aiuti spontaneamente un altro in difficoltà. In queste ed altre occasioni si percepisce chiaramente l'importanza che il soggetto dà ad azioni riuscite effettuate dal corpo-persona, quasi come manifestazioni concrete delle proprie capacità.

Un aspetto particolarmente significativo della partecipazione è rappresentato da quei momenti in cui lo stimolo presentato (molto spesso con la palla) o un'azione, sia prestabilita che improvvisata, richiama e traduce in pratica un gesto appartenente alla memoria motoria del soggetto. Spesso il soggetto non ne è cosciente e manifesta in libertà e con serenità le azioni che hanno così valore creativo. Ma qualche volta l'individuo ne è cosciente e riconosce con soddisfazione un gesto che gli apparteneva e lo ripete con entusiasmo, lui che di solito non ricorda quasi nulla. Oltre che realizzare l'azione, specie se si tratta di elementi costitutivi di qualche gioco di cui si sente parte a differenza di chi non ne è in grado, non è poi così raro che ne parli realizzando in tal modo un potente stimolo cognitivo.

Un'indicazione preziosa ci viene trasmessa dalla musica quando qualcuno riconosce una melodia e lo manifesta anche solo con la mimica, rivelando così il suo coinvolgimento emotivo ed una risposta cognitiva importante nei confronti della memoria remota residua. Questo avviene suonando brani molto noti di musica leggera e classica.

I malati che seguono questa attività specie se in gruppo, ma anche singolarmente, con la qualità della loro partecipazione, col linguaggio verbale e non verbale, esprimono compiutamente il loro atteggiamento verso la proposta e ci danno una serie di indicazioni utili a realizzare un intervento mirato ma anche gradito.

8. Un aiuto per i familiari: la consapevolezza corporea

8.1 Valorizzare le proprie risorse

Il parente che assiste l'ammalato di Alzheimer o di altra forma di demenza (denominato *caregiver*, in quanto "dispensatore di cure") nel corso del tempo può andare incontro a scoraggiamento e frustrazione, tanto per la consistenza dell'impegno che per il degrado progressivo operato dalla malattia sull'ammalato e quindi sulle condizioni pratiche della sua esistenza. Chi si fa carico del proprio congiunto a questo grado di malattia, impegna tutte le proprie energie fino allo spasimo, reso più angoscioso dall'assistere, impotente, al degrado del congiunto, coniuge, genitore, fratello.

Studi ed esperienze fin qui condotti, riferiscono che è possibile alleggerire un poco il peso della situazione e migliorare le condizioni di vita di entrambi sia utilizzando sperimentate strategie nella gestione del paziente che indirizzando il familiare alla valorizzazione delle proprie risorse ricavandosi degli spazi di pausa a livello psicofisico e di cura di se stessi, senza sviluppare sensi di colpa specifici sul versante dell'assistenza al malato.

Non sempre si trova sul territorio, oltre all'assistenza all'ammalato, anche un aiuto per chi lo assiste sotto forma di gruppo di sostegno, di incontri periodici con esperti, di colloqui individuali in cui vengono trattati i problemi del e con l'ammalato e le multiformi difficoltà del *caregiver*.

Questo lavoro intende offrire a chi assiste l'ammalato l'occasione di guardare in se stesso e trovare la capacità di organizzare il proprio tempo per riuscire ad usare le proprie risorse psicofisiche anche individualmente quando non sia possibile appoggiarsi ad un gruppo.

8.2 Il gruppo di "rilassamento consapevole"

Le esperienze di lavoro effettuate negli ultimi decenni utilizzando le tecniche a mediazione corporea con soggetti di diversi tipi e livelli di problematiche, hanno fatto pensare che analoghi percorsi opportunamente impiegati possano costituire una base di partenza per un gruppo di *self-care* (o *self-help*) rivolto a familiari di pazienti affetti da demenza o da morbo di Alzheimer.

Più come complemento che come alternativa ai gruppi di sostegno condotti da uno psicologo, sono stati sperimentati dei gruppi che sono stati definiti dagli stessi protagonisti "di rilassamento consapevole".

Il gruppo di aiuto consiste in un percorso di lavoro sul corpo, percorso fatto attraverso l'attenzione alle proprie facoltà propriocettive che possono essere scoperte, affinate, ampliate.

Questo tipo di attenzione oltre all'obiettivo di rappresentare una "pausa" al consueto stato di stress e di scoraggiamento che in genere caratterizza la condizione di chi assiste un familiare, ha quello di abituare la persona a trovare in sé degli elementi di sollievo nell'impegno pressante dell'assistenza al malato.

Inoltre l'attenzione alla "voce" del corpo, trasmessa per via propriocettiva, indirizza dolcemente la persona a trovare in se stessa uno spazio per sé, ad avere dei momenti in cui il corpo assume il ruolo di mediatore nei confronti della dura realtà, e questo senza provocare disagio per aver tralasciato la cura del paziente, sia pure per poco tempo. E ancora la consapevolezza del proprio corpo può rivelarsi una risorsa costante e portare a cercare altre vie di relazione con gli altri e con il parente stesso.

Un gruppo di questo tipo può coinvolgere indicativamente un numero di persone da 5 a 10, che possano parteciparvi assiduamente, anche utilizzando la contemporaneità con un gruppo di lavoro per i parenti malati, prevedendo almeno una decina di incontri. Si consiglia abbigliamento comodo e ai piedi calzettoni anziché scarpe.

Il gruppo deve svolgersi in un ambiente riservato, con sedie, poltroncine e tappetini per i vari momenti del percorso, la possibilità di usare la musica e appunto la tranquillità rispetto all'assistenza del parente.

Un programma sintetico per cui occorre tenere in conto i tempi, gli aggiustamenti e gli sviluppi resi necessari dalle caratteristiche individuali e di gruppo dei partecipanti, si basa fondamentalmente su:

– percezione e ascolto del corpo in varie situazioni;

– percezione e ascolto del respiro in varie situazioni;

– utilizzo del respiro nelle varie situazioni del quotidiano (affaticamento, affanno, tensioni, aiuto ai movimenti fatti in sincronia col respiro);

– rilasciamento segmentario e globale attraverso alcune pratiche percettive quali l'automassaggio e il massaggio reciproco;

– dialogo tonico in situazione attivo-passiva di affidamento ad un partner;

– rilassamento utilizzando gli elementi precedenti;

– riferimento all'utilizzo di qualche elemento nel rapporto col parente malato;

– verbalizzazione di ciascuna esperienza e in ogni incontro, con ampio spazio alle osservazioni personali.

La musica ha un grande ruolo in questo tipo di percorso, attraverso l'ascolto, durante l'incontro, di brani musicali non espressamente ritmati (melodie dolci, di tipo orientale) suonati sottovoce per contribuire a creare un ambiente rilassante e piacevole e come coinvolgimento emotivo capace di allontanare almeno temporaneamente dalla realtà e favorire la distensione.

Qualche esempio pratico propedeutico al "rilassamento consapevole": dopo aver esaurito il tempo dedicato a "mettersi a proprio agio" che comprende l'ingresso (del conduttore e dei partecipanti), i saluti, qualche commento, l'arrivo dei ritardatari, assumere una posizione comoda che consenta di "lasciarsi andare": può essere su una sedia o poltroncina ma anche a terra sul tappetino. I gruppi sono costituiti da persone assai diverse e non a tutti è gradito distendersi a terra, indipendentemente dall'età. È ovvio che non bisogna forzare nessuno e si può lasciare la scelta agli interessati, sapendo che in seguito molte resistenze vengono superate naturalmente e che comunque si può anche operare con le persone disposte in modi differenti (fig. 8.1):

1. il conduttore, dopo qualche tempo di sosta in cui sollecita a lasciarsi andare il più possibile (da seduti o coricati) orienta l'attenzione al respiro di base, raccomandando perciò di non fare respiri più ampi;

Figura 8.1 - Il rilassamento è possibile da varie posizioni

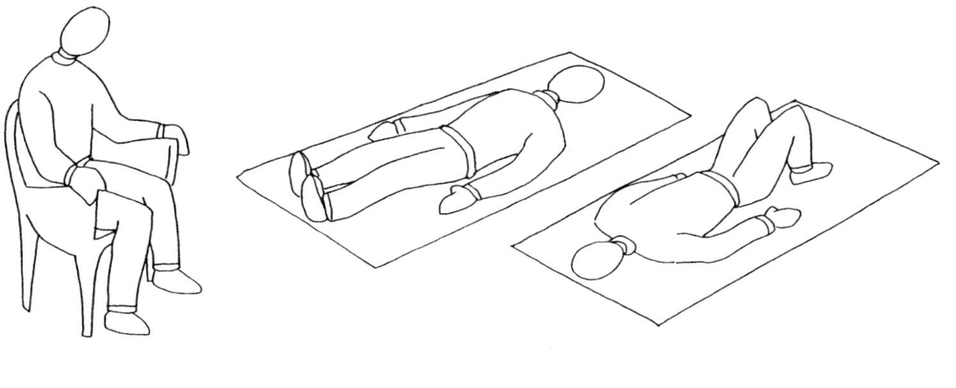

2. in riferimento alla posizione assunta, ciascuno è invitato alla percezione dei vari segmenti del corpo, iniziando ad esempio dai piedi (non calzati) che appoggiano con le piante o i talloni sul terreno, ponendo particolare attenzione alle sensazioni che si riescono a percepire;

3. cercare di percepire le sensazioni che il corpo dà al contatto (o al non contatto) con l'ambiente (sedile, schienale, terreno), piante dei piedi sul terreno, gambe, cosce, glutei e bacino, colonna vertebrale lombare, dorsale, cervicale, mani, avambraccia, braccia, spalle.

Questo ascolto dura alcuni minuti con un "leggero" accompagnamento verbale del conduttore che esprime con brevi frasi l'invito a percepirsi, lasciando un adeguato spazio di tempo fra i vari interventi verbali (fig. 8.2);

Figura 8.2 - Percepire il corpo dai contatti con il terreno e l'ambiente

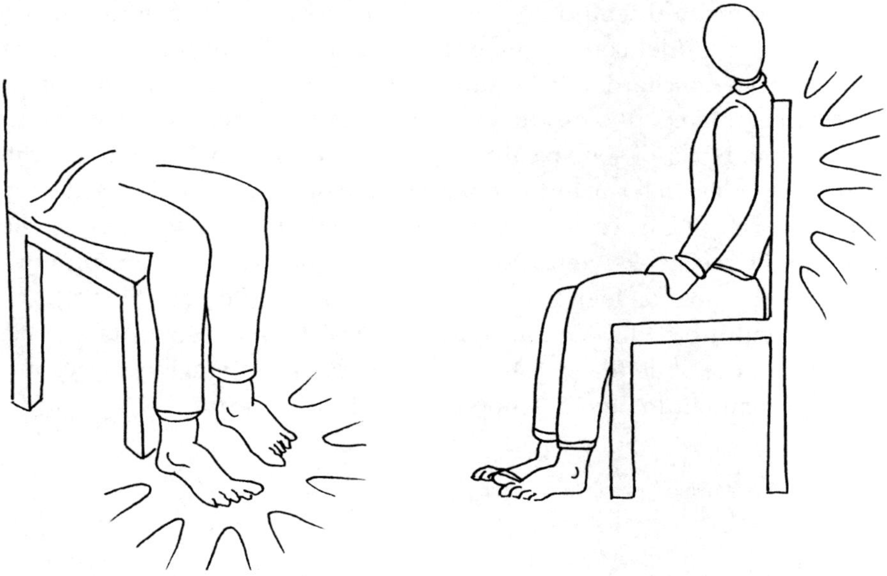

4. si invitano i presenti a verbalizzare le loro sensazioni e in qual misura sono state percepite; questa verbalizzazione non deve essere obbligata, ma lievemente sollecitata e l'esperienza insegna che dopo le prime incertezze, tutti esprimono volentieri i particolari della loro indagine propriocettiva;

5. si ritorna sul respiro, questa volta in modo più approfondito, cercando cioè di percepire a livello diaframmatico (o toracico) l'aria che entra e l'aria che esce. Ci si può aiutare posando una mano (o entrambe) sulla zona di maggior evidenza dell'inspirazione. In questo modo si riesce a localizzare

dall'esterno (la mano) e dall'interno (la percezione) il tipo di respiro personale di ciascuno (fig. 8.3);

6. fare quattro o cinque respiri più ampi, prevalentemente toracici, iniziando con la contrazione dei muscoli dell'addome e sollevando le spalle durante l'inspirazione, abbassandole durante l'espirazione;

7. preferibilmente seduti, "sentire" la condizione delle spalle facendo qualche movimento nelle varie direzioni.

Iniziare il massaggio con intervento spontaneo delle mani, senza una tecnica specifica ma con i movimenti che ciascuno si sente di fare. Può essere individuale (con una mano alla spalla opposta e viceversa) o, meglio, per coppie dandolo e ricevendolo a turno con le due mani alle due spalle. In entrambi i casi impastare, pizzicottare, sfiorare la porzione muscolare alla base del collo e la zona posteriore del collo. Per essere utile il massaggio deve durare almeno cinque minuti per ogni zona trattata (fig. 8.4);

Figura 8.3 - Percepire il respiro aiutandosi con la mano

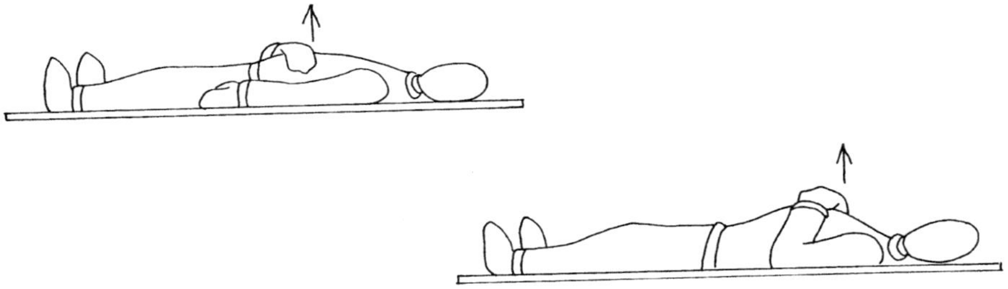

Figura 8.4 - Percepire il proprio corpo attraverso il massaggio reciproco

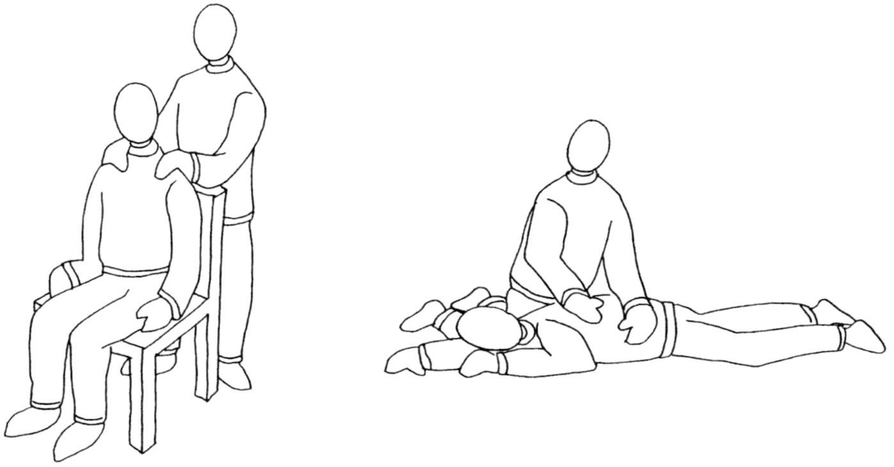

8. possibilmente a terra sdraiati su un fianco, continuare il massaggio nella zona dorsale, insistendo sulla zona lombare, sacrale e la parte alta del gluteo; poi sdraiarsi sull'altro fianco per fare la stessa cosa;

Figura 8.5 - Dialogo tonico attraverso movimenti piccoli e leggeri di mano e polso

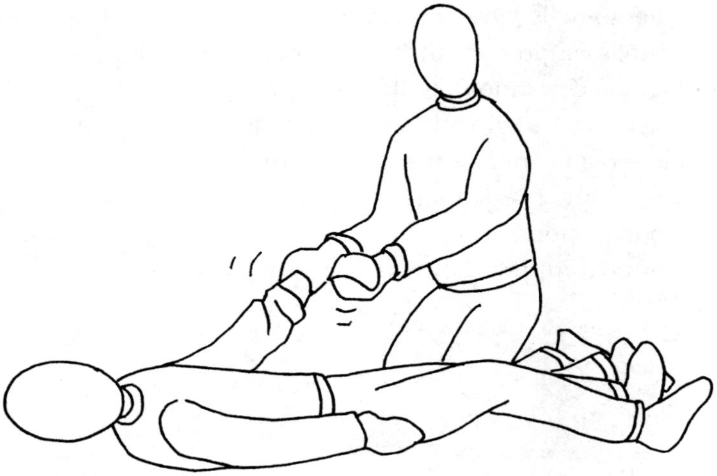

Figura 8.6 - Dialogo tonico attraverso movimenti piccoli e leggeri di tutto il braccio nelle varie posizioni possibili

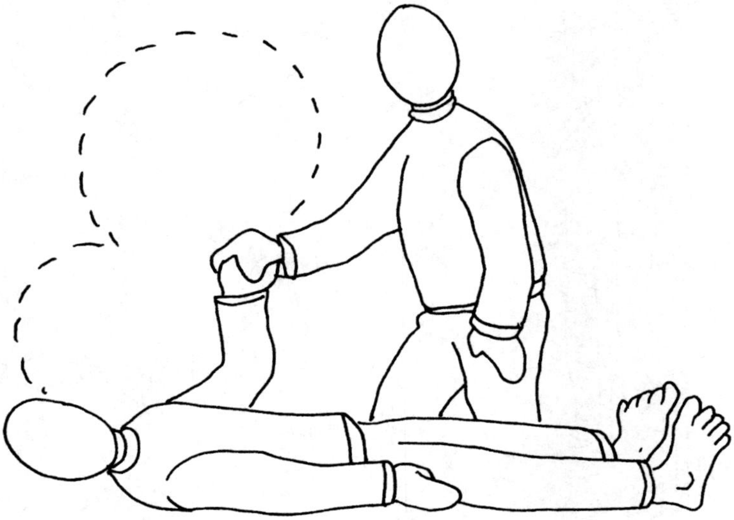

9. lieve dialogo tonico per coppie: chi riceve, rilassato, seduto o sdraiato a terra; chi agisce gli è vicino in posizione adatta: iniziando da una mano gliela solleva delicatamente e dito per dito effettua piccoli movimenti e delicate pressioni fino al polso (fig. 8.5), poi compie alcuni movimenti molto lenti e non ripetitivi, iniziando da mano e polso e coinvolgendo successivamente l'avambraccio, quindi il braccio e la spalla; idem con l'altro braccio (fig. 8.6).

Poi lo stesso procedimento con una gamba iniziando dalle dita dei piedi in forma singola e tutte insieme, quindi la caviglia, la gamba con l'articolazione del ginocchio, la coscia con l'articolazione coxofemorale (fig. 8.7);

Figura 8.7 - Dialogo tonico con piccoli movimenti di piede, caviglia e gamba in tutte le direzioni possibili

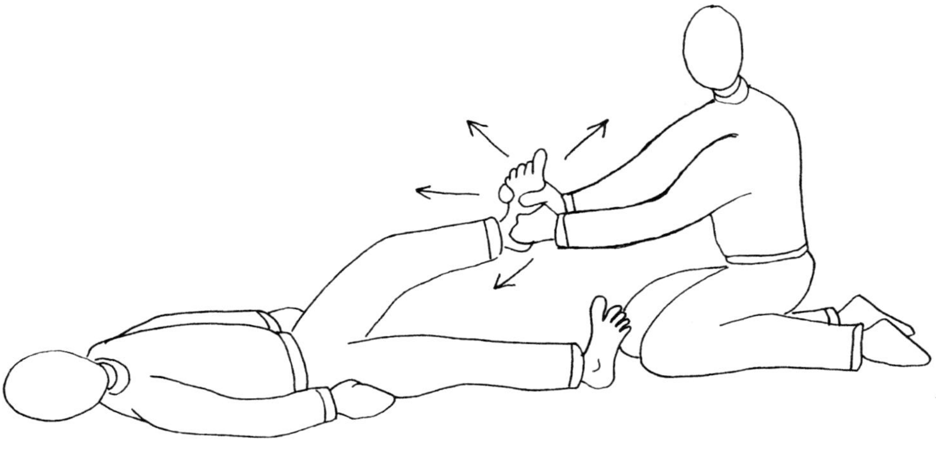

chi riceve si lascia andare, non fa movimenti ma percepisce la piacevolezza di essere agiti in questo modo attraverso le delicate sensazioni che coinvolgono entrambi i partner. La pratica dura alcuni minuti e, prima di cambiare i ruoli, lasciare una pausa per assaporarne l'effetto distensivo.

A questo punto si può passare ad una fase di rilassamento definito più sopra "consapevole" perché raggiungibile in modo autonomo attraverso pratiche di consapevolezza del corpo, del respiro, delle tensioni e del rilasciamento muscolari.

Il conduttore durante tutto il percorso (una decina di incontri) "alleggerisce" gradatamente il suo intervento verbale, dando però sempre più spazio alla verbalizzazione dei partecipanti dopo ogni elemento percettivo. Anche il rilassamento può iniziare con una blanda guida del conduttore, destinata a scomparire per abituare progressivamente i partecipanti all'autonomia perché ogni individuo possa continuare a praticarlo a casa.

10. Seduti su una poltroncina o sdraiati a terra nella posizione che si preferisce, assestarsi bene nella situazione scelta:

– passare in rivista le varie parti del corpo cominciando dai piedi, come all'inizio, sentire dove c'è il contatto col terreno, sentire dove non c'è;

– cercare di percepire il respiro a riposo e ascoltarlo per un paio di minuti;

– fare 3-4 respiri più ampi;

– rimanere qualche tempo a sentire la persona rilassata;

11. quando se ne sente il bisogno iniziare la riattivazione con piccoli e lenti movimenti delle dita delle mani e dei piedi;

– poi delle mani e dei piedi;

– poi delle braccia e delle gambe;

– poi di tutta la persona;

– stirarsi in tutte le direzioni e sbadigliare se ce n'è il bisogno;

– eventualmente raccogliere la persona per qualche secondo (avvicinare il capo alle ginocchia) prima su un fianco, poi sull'altro (fig. 8.8).

Figura 8.8 - Dopo la riattivazione con piccoli movimenti di tutto il corpo, girarsi su un fianco

Se si è in gruppo, verbalizzare le sensazioni provate durante il rilassamento. Se si è soli, ripensare a com'è andato proprio come se si dovesse parlarne a qualcuno.

8.3 L'autoaiuto con il "rilassamento consapevole"

È fin troppo ovvio osservare che un percorso di consapevolezza è più agevole se fatto con una guida e in un gruppo, nel cui contesto, più facilmente, si attenuano e si stemperano le tensioni fisiche e psichiche in quanto ci si sente quasi protetti dagli altri con cui, in ogni caso, c'è qualcosa in comune.

In gruppo questo procedimento è anche più facile che nelle sedute individuali dove il rapporto uno a uno col conduttore impegna in modo più pressante e quasi senza via d'uscita.

Ma, come si è già detto, non sempre le condizioni ambientali e familiari consentono di cercare e di trovare un gruppo di sostegno, per cui molto più spesso il *caregiver*, o comunque il parente che ha in carico l'ammalato di Alzheimer, non dispone della possibilità di fruire di tale occasione.

Questo breve percorso ha lo scopo di offrire un possibile aiuto in tale situazione.

L'individuo ha sempre in sé una grande ricchezza di risorse a livello mentale e corporeo.

Molto, troppo spesso la routine legata allo scorrere degli eventi pesanti impedisce di avvertire e far ricorso alle proprie risorse. Ma la proposta che è oggetto del presente capitolo, pur non essendo facile, non è impossibile a condizione di avere la disponibilità a trovare la voglia e il tempo per sperimentare le situazioni indicate.

È quindi essenzialmente una questione di volontà ad autoaiutarsi.

Si presenta una serie di osservazioni da leggere con attenzione per disporsi ad effettuare il percorso di autoaiuto.

Il punto centrale è l'attenzione alla respirazione.

Conoscere la propria respirazione significa:

– consapevolezza del proprio corpo;

– ascolto e presa di coscienza di una funzione esistente (quindi non un apprendimento);

– percezione del proprio ritmo respiratorio non usando tecniche, ma scoprendo e valorizzando la propria funzione;

– consapevolezza del respiro per dare autonomia ed aiutare la distensione psicofisica anche ai fini del rilassamento;

– coscienza di una miglior ossigenazione anche ai fini di un recupero fisico.

Gli stati d'animo influenzano il respiro e contribuiscono ad alcune manifestazioni che talvolta hanno valenza psicologica "liberatoria", ad esempio sbuffare, sospirare, soffiare, cantare, urlare, sbadigliare.

La respirazione può essere diaframmatica (prevalentemente all'altezza del diaframma), toracica e toracico-clavicolare (nella parte toracica anche alta), e comunemente nel respiro spontaneo si ha una forma mista.

Percepire e "assaporare" il proprio respiro è già di per sé un elemento distensivo che può essere propedeutico al rilassamento; in certe occasioni, effettuare un respiro più ampio, dà la carica prima di un'azione impegnativa e distende dopo un momento difficile (il respiro di sollievo): azioni queste che ciascuno pratica spontaneamente senza pensarci.

Vale dunque la pena di addentrarsi in un percorso che dà indiscutibili vantaggi.

Queste brevi osservazioni hanno lo scopo di far riflettere sulla portata della consapevolezza respiratoria fine a se stessa ma anche come veicolo alla pausa di rilassamento, di stacco dall'affanno (e anche dalla fatica) quotidiani che è rappresentata dal breve avvio all'autoaiuto. Trattandosi di un percorso delicato e privo di aiuto esterno, si fanno alcune proposte preliminari che sono una sorta di introduzione per seguire poi, in modo autonomo, il lavoro che nel paragrafo precedente è presentato da fare con la guida di un conduttore.

Il punto di partenza è rappresentato dal fatto di essere tranquilli rispetto all'assistenza all'ammalato per poter veramente "staccare la spina" della responsabilità per qualche tempo (15/20 minuti almeno). Il cercare di fare queste pratiche senza la necessaria tranquillità può aumentare la tensione e l'angoscia della situazione.

Perciò approfittare di momenti che l'occasione offre: l'ammalato al centro diurno, in compagnia di qualche visitatore, durante il sonnellino pomeridiano, ecc.

Individuato il momento tranquillo e la zona della casa che sembra più favorevole, cercare la posizione che si sente più adatta a lasciarsi andare. Può essere: seduti su una poltroncina, sdraiati sul terreno anche intercambiando le due posizioni secondo il desiderio del momento e, se può essere favorevole, suonare sottovoce una musica che piace, ma non ritmata.

Iniziare la percezione del corpo e del respiro da una serie di osservazioni:

1. sentire l'ambiente, i rumori, il calore, gli odori, le pareti, gli oggetti, la luce;

2. sentire la propria persona, nella posizione che si è scelta, ascoltando i

messaggi che vengono dal corpo come tensioni, contatti, calore, eventuali disagi che inducono a modificare la posizione per trovare il modo di stare meglio;

3. rafforzare questo primo ascolto corporeo facendo scorrere le mani su tutta la persona come per scoprirne la forma e la consistenza;

4. esaminare le sensazioni che si avvertono nel corpo, iniziando dai piedi e percorrendo tutta la persona per divenire coscienti dei messaggi percettivi che ne provengono;

5. ascoltare globalmente la persona che è accolta dalla poltrona o dal terreno secondo la scelta individuale; soffermarsi ad ascoltare la zona toracica bassa e diaframmatica per scoprire, nell'immobilità della persona, il movimento chiaramente percettibile della funzione respiratoria;

6. individuata la respirazione di base (cioè senza fare dei respiri più ampi ma ascoltando il respiro "che si fa da solo") appoggiando le mani sul punto di maggiore evidenza, seguire per qualche tempo il movimento prodotto dal respiro: la parte si solleva nell'inspirazione e poi si abbassa nell'espirazione, ritmicamente senza interruzione;

7. cercare di riprodurre all'esterno questo movimento "interno" del respiro, ad esempio con un piccolissimo movimento delle mani che si sollevano all'inspirazione e si abbassano all'espirazione (sempre senza fare respiri più ampi) (fig. 8.9);

Figura 8.9 - Con il movimento della mano riprodurre all'esterno l'inspirazione e l'espirazione

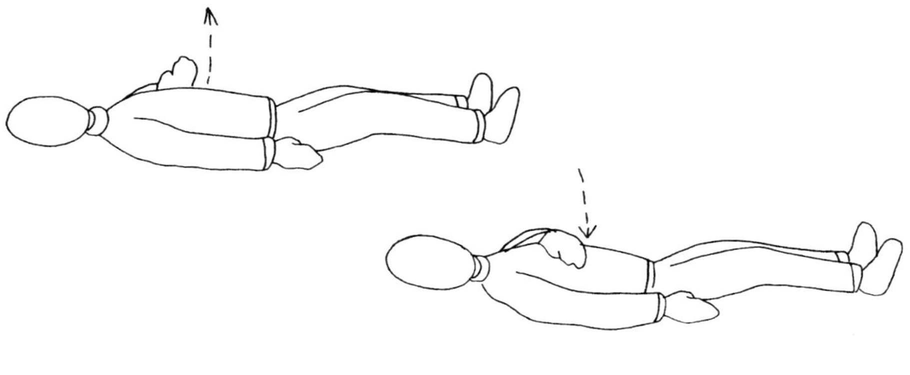

8. fare 4-5 respiri più ampi accompagnandoli col movimento di mani e braccia che ovviamente sarà più ampio che nel n. 7, poi tornare al respiro di base;

9. fare alcuni respiri più ampi accentuati nella zona diaframmatica: i muscoli della parete addominale si rilasciano nell'inspirazione e si contraggono nell'espirazione. Analogamente fare alcuni respiri più ampi accentuati nella zona toracica: i muscoli addominali si contraggono all'inizio dell'inspirazione e si rilassano con l'espirazione;

10. dalla posizione che si è scelta, sentire la persona rilassata, il respiro di base tranquillo; ogni tanto fare un respiro lento e ampio cercando di interessare successivamente la zona diaframmatica e poi quella toracica.

Questi esempi possono essere intervallati da qualche pausa di riposo specialmente all'inizio quando non si è ancora abituati all'osservazione, ma anche dagli elementi di automassaggio descritti in seguito.

Il massaggio, in questo caso per forza di cose l'automassaggio, è rilasciante a livello muscolare e distensivo a livello mentale. Il risultato si raggiunge attraverso la pressione esercitata, per alcuni minuti sulle zone muscolo-tendinee, dalle mani o da palline da tennis.

Si è già detto che non occorre una tecnica particolare ma piuttosto lasciar fare le mani impegnate direttamente o che rotolano una pallina sulle zone individuate.

Si indica un breve percorso da effettuare progressivamente, seduti su una sedia o poltroncina.

Automassaggio:

11. dopo aver preso coscienza della propria persona, attraverso i primi esercizi consigliati per il respiro, ed aver effettuato un passaggio delle mani

Figura 8.10 - Automassaggio della spalla: lavorare i muscoli con tutta la mano

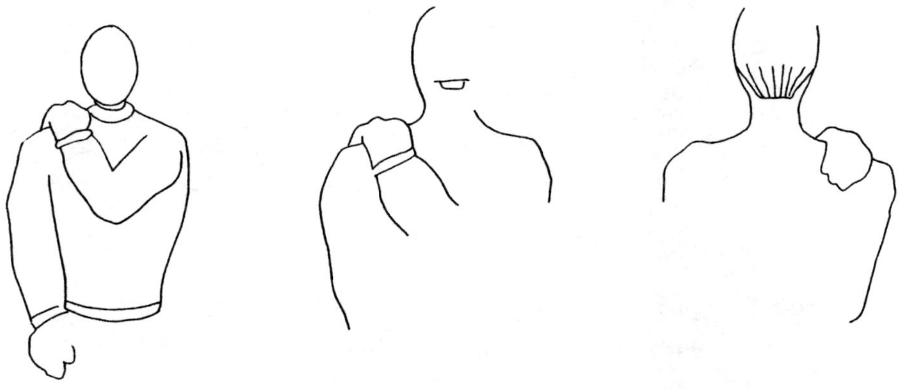

su tutta la persona come al n. 3, sentire le proprie mani, palmo contro palmo, stringendole e sfregandole reciprocamente più volte;

12. rilasciare un braccio e con la mano opposta effettuare un massaggio alla base del collo, lavorando bene la parte con tutta la mano (le 4 dita verso il dorso, il pollice e gran parte del palmo sulla parte anteriore); in seguito cambiare lato (fig. 8.10);

13. con entrambe le mani pizzicottare in modo alternato il collo nella zona che va dalla colonna cervicale fino dietro le orecchie; effettuare con le dita, delle pressioni scivolate dalla base del collo alla base del cranio (fig. 8.11);

Figura 8.11 - Con entrambe le mani, pizzicottare il collo in modo alternato dalla base del collo alla base del cranio

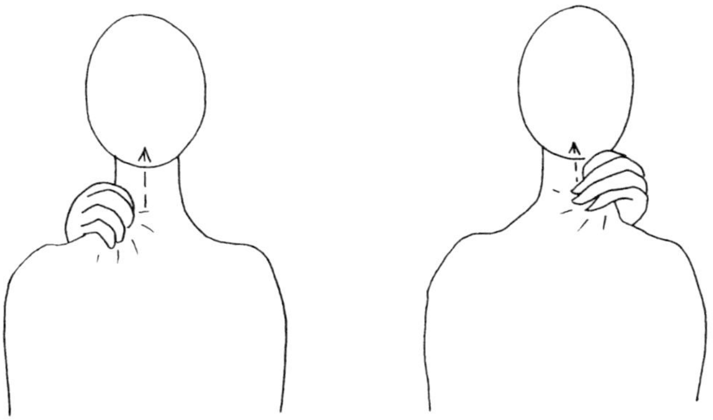

14. in piedi vicini ad una parete: far rotolare una pallina da tennis con il dorso, poi con la zona lombare, poi con la porzione alta dei glutei con una buona pressione contro il muro (fig. 8.12);

15. lo stesso si può fare ma in modo più limitato, rotolando la pallina contro lo schienale se non è aperto, o meglio se sdraiati a terra, rotolandola contro il terreno con le zone dorso-lombo-sacrale e dei glutei;

16. seduti rotolare la pallina con la pianta del piede cercando di interessare tutta la pianta e i margini;

17. sdraiati a terra su un fianco, con una mano massaggiare la parte corrispondente (impastando, pizzicottando...) dal gluteo, insistendo sulla zona lombosacrale, al dorso; girarsi poi sull'altro fianco e fare lo stesso con l'altra mano (fig. 8.13);

Figura 8.12 - Contro una parete rotolare una pallina da tennis lungo tutta l'estensione del dorso

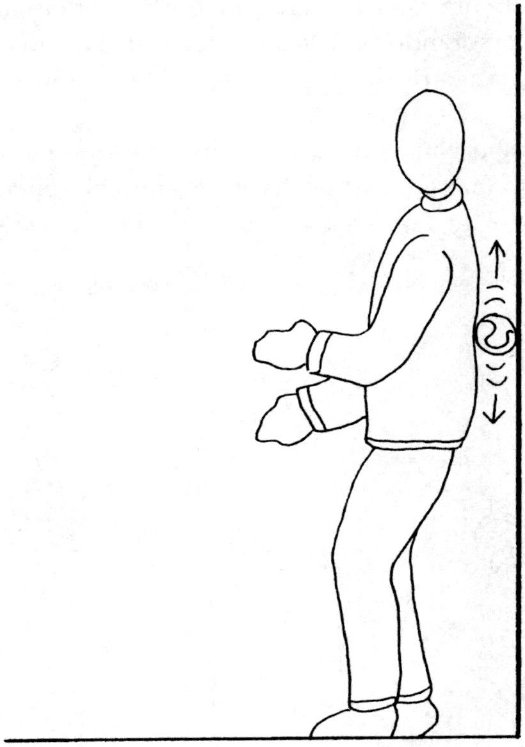

Figura 8.13 - Sdraiati su un fianco, massaggiare con energia la parte muscolare dai glutei alle scapole

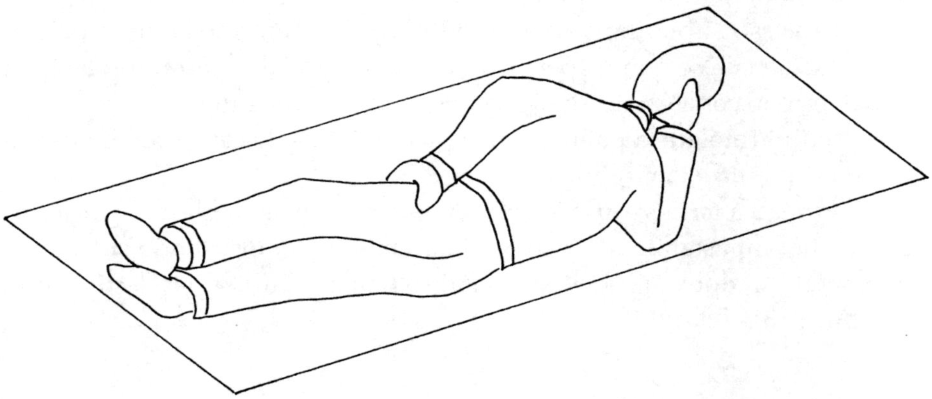

18. seduti o sdraiati, con le due mani massaggiare le spalle, e la zona fin sotto le clavicole compreso lo sterno;

19. appoggiare le palme delle mani su varie zone del torace, dalle spalle alla zona diaframmatica e sopra i fianchi, mantenendole ferme per qualche istante cercando di percepire il ritmo del respiro di base;

20. sdraiati o seduti col capo appoggiato dietro, iniziando dalla fronte con tre dita delle due mani, percorrere successivamente con una sorta di carezza, dal centro all'esterno, tutto il viso come se si dovesse lisciare la pelle verso i capelli (fig. 8.14).

Questi brevi percorsi possono intersecarsi reciprocamente stimolando una scelta delle pratiche che sono più congeniali al fine di "lasciarsi andare" con un buon livello di rilassamento.

Tuttavia si dà un'indicazione-tipo che ciascuno può modificare secondo le esigenze (previsti, come già detto, 15/20 minuti).

Figura 8.14 - In posizione comoda, capo appoggiato dietro, con le dita lisciarsi il viso dal centro verso l'esterno

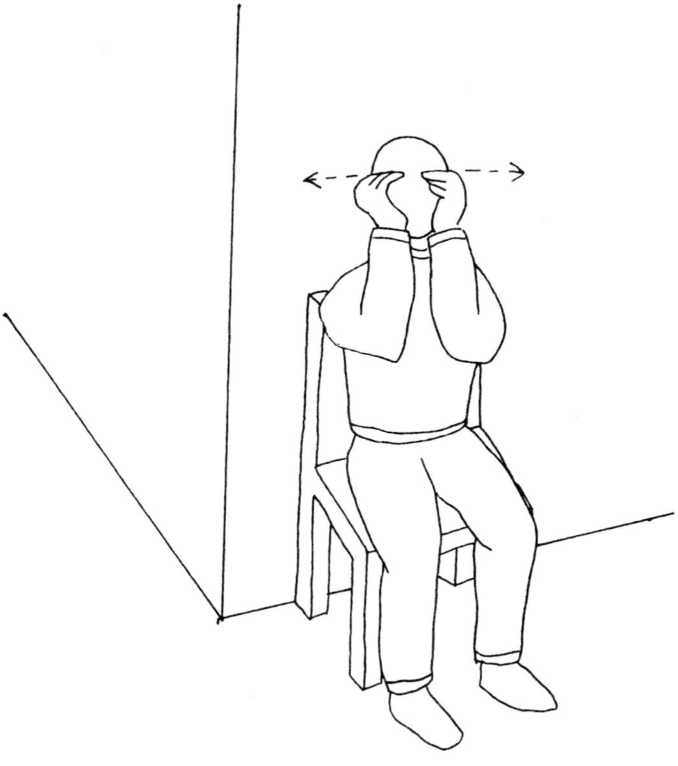

Rilassamento:

21. identificare il momento, il luogo e la posizione preferita, anche ipotizzando di fare una parte seduti e una parte distesi a terra; assestarsi nella posizione e percepire le varie parti del corpo;

22. ascoltare il respiro di base per qualche momento, unirvi un piccolo movimento delle mani come al n. 7;

23. passare le mani su tutta la persona più volte;

24. massaggiare spalle e collo come ai nn. 12 e 13;

25. massaggiare le zone lombosacrale e dorsale con le mani o con la pallina;

26. seduti o sdraiati a terra, lasciarsi andare, concentrarsi sul respiro per un po' di tempo; fare 2-3 respiri ampi interessando prima la zona diaframmatica poi quella toracica, poi tornare al respiro di base (fig. 8.15);

27. rimanere per alcuni minuti ad assaporare il rilassamento della persona

28. riattivarsi lentamente come al n. 11 del paragrafo 8.2;

29. sbadigliare, sospirare, stirarsi in tutte le direzioni;

30. ripensare al breve percorso effettuato, rilevandone gli aspetti piacevoli e/o quelli che si vorrebbero diversi nella volta successiva.

Figura 8.15 - Assumere una posizione confortevole, concentrandosi sul respiro prima diaframmatico e poi toracico e lasciarsi andare

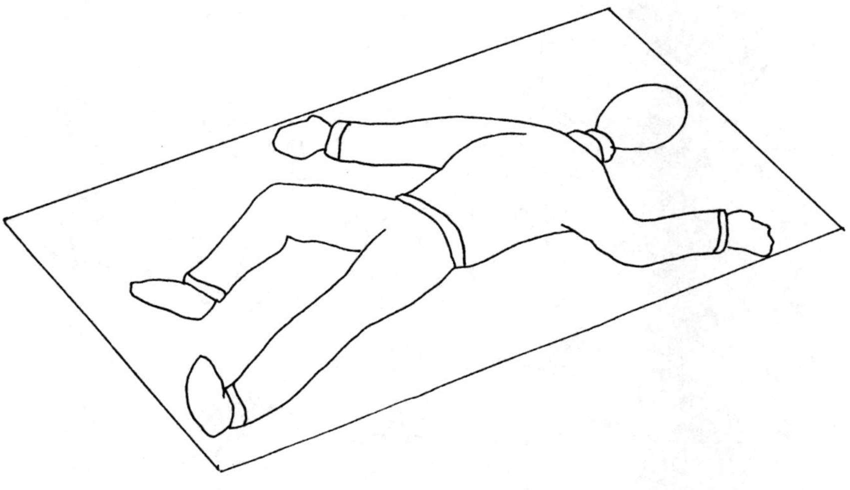

Bibliografia

Sulla demenza

Pubblicazioni a carattere divulgativo, per i familiari e per gli operatori dei servizi

ALZHEIMER EUROPE, *Manuale per prendersi cura del malato di Alzheimer*, Milano, Federazione Alzheimer Italia, 1999.

BOCCARDI M., *Riabilitazione nella demenza grave. Manuale pratico per operatori e caregiver*, Trento, Centro Studi Erickson, 2007.

BOTTURA R., *La nebbia dell'anima. Dalla "sclerosi" alla demenza senile: un itinerario di conoscenza e solidarietà*, Rimini, Guaraldi, 1994.

CARBONE G., *Invecchiamento cerebrale, demenze e malattia di Alzheimer. Una guida informativa per i familiari e gli operatori con l'elenco delle Unità Valutative Alzheimer (UVA)*, Milano, Franco Angeli, 2007.

CASTOLDI C. e LONGONI B., *Prendersi cura della persona con demenza*, Milano, CEA, 2005.

CESTER A. e DE VREESE L., *L'altro volto della demenza*, Studio Vega, 2003.

GALLI R. e LISCIO M., *L'operatore e il paziente Alzheimer. Manuale per prendersi cura del malato*, Milano, McGraw-Hill, 2007.

JONES M., *Gentlecare. Un modello positivo di assistenza per l'Alzheimer*, Roma, Carocci Faber, 2005.

MACE N.L. e RABINS P.V., *Demenza e malattia di Alzheimer*, Trento, Erickson, 1995.

QUAIA L., *Alzheimer e riabilitazione cognitiva. Esercizi, attività e progetti per stimolare la memoria*, Roma, Carocci Faber, 2006.

VIGORELLI P., *Alzheimer senza paura. Manuale di aiuto per i familiari: perché parlare, come parlare*, Milano, Rizzoli, 2008.

VITALI S., *Ordinaria follia*, Roma, La Nuova Italia Scientifica, 1993.

Pubblicazioni a carattere tecnico

AIMA – CENSIS, *La vita riposta: i costi sociali ed economici della malattia di Alzheimer*, Milano, FrancoAngeli, 2007.

CANNARA A., BRIZIOLI C., BRIZIOLI E., *Progettare l'ambiente per l'Alzheimer. Specifiche progettuali per l'ambiente terapeutico*, Milano, Franco Angeli, 2004.

CENSIS, *La mente rubata. Bisogni e costi sociali della malattia di Alzheimer*, Milano, FrancoAngeli, 1999.

GUAITA A., *Terapia della realtà: ma la realtà è terapeutica per i malati di demenza?*, in "I Luoghi della Cura", anno 1, n. 1, 2003, pp.19-24.

GUAITA A., VITALI S., *Demenza, la cura oltre i farmaci*, in "Giornale di Gerontologia", vol. 51, n. 5, 2003, pp. 453-459.

MECOCCI P., CHERUBINI A., SENIN U., *Invecchiamento cerebrale, declino cognitivo, demenza. Un continuum?*, Roma, Critical Medical Publishing Editore, 2002.

PLOTON L., *La persona anziana*, Milano, Raffaello Cortina Editore, 2003.

TAMANZA G., *La malattia del riconoscimento. L'Alzheimer, le relazioni familiari, il processo di cura*, Milano, Edizioni Unicopli, 1998.

TRABUCCHI M. (a cura di), *Le demenze*, Torino, UTET, 2005.

Esperienze di pazienti e familiari

BAYLEY J., *Elegia per Iris*, Milano, Rizzoli, 2000.

BIGATELLO G., *La sottoveste sotto la gonna*, Barzago (LC), Marna Editrice, 2006.

CARACCIOLO F., *Alzheimer: un viaggio in due*, Roma, Carocci, 2003.

GARDINI N., *Lo sconosciuto*, Milano, Sironi Editore, 2007.

HENDERSON C.S., ANDREWS N., *Visione parziale. Un diario dell'Alzheimer*, Trieste, Associazione Goffredo De Banfield, 2002.

JELLOUN TAHAR B., *Mia madre, la mia bambina*, Torino, Einaudi, 2006.

SANDIAS M., *Smarrirsi. La mente nel labirinto*, Roma, Armando, 2005.

Su corpo/movimento

ABRAHAM G., *I segreti dal corpo*, Milano, Mondadori, 1998.

ABRAHAM G., *Le età della vita. Sapere vivere al meglio ogni stagione dell'esistenza*, Milano, Mondadori, 1993.

ALEXANDER G., *Le corps retrouvé par l'eutonie*, Paris, Tchou, 1976.

ARGYLE M., *Il corpo e il suo linguaggio*, Bologna, Zanichelli, 1978.

ARTUSIO F., *Psicoginnastica*, Como, red, 1983.

BELLERO O., FABRIS F., FERRARIO E., IMERONI A., GUGLIELMINO A., TROLETTI G., *L'anziano, il corpo, il movimento*, Roma, La Nuova Italia Scientifica, 1983.

BELMUSO L., IMERONI A.,TROLETTI G., *Attività motoria con gli anziani*, Milano, edi-ermes, 1992.

BELMUSO L., IMERONI A., TROLETTI G., *L'anziano in movimento*, Milano, edi-ermes, 1991.

BERTHÉRAT T. & BERSTEIN C., *Guarire con l'antiginnastica*, Milano, Mondadori, 1978.

BRUEGEL MULLER G., *Eutonia e rilassamento*, Milano, Longanesi, 1978.

BUSACHI M., NANETTI F., SANTANDREA C., *Psicomotricità educazione e terapia*, Bologna, Società Editrice Esculapio, 1980.

CELLA G. AL CHAMALI, *Respirazione distacco concentrazione meditazione*, Milano, Sonzogno, 1992.

CELLA G. AL CHAMALI, *I segreti dello Yoga*, Milano, Fabbri, 2001.

COSTE J.C., *Psicomotricità*, Firenze, La Nuova Italia, 1981.

DANON M., *Star bene con la musica*, Milano, Sonzogno, 1997.

FELDENKRAIS M., *Le basi del metodo per la consapevolezza dei processi psicomotori*, Roma, Astrolabio, 1991.

GIORGI G., MINASSO C., PICCOLO A., *Ginnastica per la terza età*, Roma, Ed. Mediterranee, 1989.

GIORGI G., TROLETTI D., *Ginnastica dolce*, Roma, Ed. Mediterranee, 1999.

GIORGI TROLETTI G., IMERONI A., *La vecchiaia per sport*, Molfetta, La Meridiana, 2004.

HALL E.T., *Il linguaggio silenzioso*, Milano, Bompiani, 1969.

KENT A., *La gymnastique douce*, Paris, L'étincelle, 1978.

IMERONI A., GIORGI TROLETTI G., VIONE F., *Ginnastica con gli anziani*, Roma, La Nuova Italia Scientifica, 1980.

IMERONI A., *Attività motoria nella grande età*, Roma, Carocci, 2002.

LE BOULCH J., *Verso una scienza del movimento umano*, Roma, Armando, 1976.

LOWEN A., *Il linguaggio del corpo*, Milano, Feltrinelli, 1978.

MINASSO C., PICCOLO A., GUARINO B., *Muoversi bene per stare meglio*, Roma, Ed. Mediterranee, 1995.

MORRIS D., *Il comportamento intimo*, Milano, Mondadori, 1972.

RIVA P., *L'equilibrio precario*, Milano, Angeli, 1997.

SAINT PIERRE G., BOATER D., *Il massaggio che trasforma*, Roma, Ed. Mediterranee, 1992.

STRASS C., GUAITA A., CERETTI A., *Educazione al movimento per gli anziani (Guida pratica per operatori)*, Roma, La Nuova Italia Scientifica, 1986.